Arthur Conan Doyle

SHERLOCK HOLMES

O CÃO DOS BASKERVILLE

2ª Impressão em 2022

Presidente: Paulo Roberto Houch
MTB 0083982/SP

Coordenação Editorial: Priscilla Sipans
Coordenação de Arte e capa: Rubens Martim
Tradução e preparação de texto: Fabio Kataoka
Revisão: Suely Furukawa
Diagramação: Rogério Pires

Vendas: Tel.: (11) 3393-7727 (comercial2@editoraonline.com.br)

Impresso no Brasil.
Foi feito o depósito legal.

Direitos reservados ao
IBC – Instituto Brasileiro de Cultura LTDA
CNPJ 04.207.648/0001-94
Avenida Juruá, 762 – Alphaville Industrial
CEP. 06455-010 – Barueri/SP
www.editoraonline.com.br

Sumário

SIDNEY PAGET

Apresentação

Sherlock Holmes e Dr. Watson são chamados para investigar a morte misteriosa de Sir Charles Baskerville. Deparam-se com um criminoso foragido, um casal apaixonado, uma fera sobrenatural que emite sons aterrorizantes e ainda um desconhecido que se esconde na charneca.

Primeiro best-seller do século passado, os críticos consideram *O Cão dos Baskerville* o melhor romance policial de todos os tempos. Envolvente e surpreendente.

O Cão dos Baskerville traz um enredo genial de mistério, suspense, terror e revelações incríveis, como em todos livros de Arthur Conan Doyle, genial criador do detetive mais famoso do mundo.

I

Sherlock Holmes

Sherlock Holmes, que habitualmente se levantava muito tarde de manhã, exceto naquelas ocasiões frequentes em que passava a noite toda acordado, estava sentado à mesa do café da manhã. Eu estava parado junto à lareira e apanhei a bengala que o nosso visitante havia esquecido na noite anterior. Era um belo pedaço de madeira grossa, de cabo redondo, do tipo conhecido como *penang lawyer*. Logo abaixo do cabo havia um anel largo de prata com quase dois centímetros e meio de largura. "A James Mortimer, M.R.C.S., dos seus amigos do C.C.H.", estava gravado sobre ele, com a data de 1884. Era exatamente o tipo de bengala que o antiquado médico de família costumava usar: digna, resistente e tranquilizadora.

– Watson, o que você tem a me dizer sobre a bengala?

Holmes estava sentado de costas para mim, e eu não havia dado a ele indicação alguma da minha ocupação.

– Como soube o que eu estava fazendo? Acho que você tem olhos atrás da cabeça.

– Tenho, pelo menos, um bule de café bem polido folheado a prata diante de mim – disse ele.

– Mas diga-me, Watson, o que você conclui da bengala do nosso visitante? Já que fomos incapazes de saber o que desejava, essa lembrança acidental é importante. Deixe-me ouvi-lo reconstituir o homem por um exame dela.

– Acredito – disse eu, seguindo até onde podia os métodos do meu companheiro – que o Dr. Mortimer é um médico idoso bem-sucedido, muito estimado, pois aqueles que o conhecem deram testemunho de sua estima.

– Ótimo! Excelente! – exclamou Holmes.

– Acredito também que ele deva ser um médico rural que faz boa parte das suas visitas a pé.

– Por que acha isso?

– Porque esta bengala, embora originalmente muito bonita, tem sido tão maltratada que dificilmente posso imaginar um médico da cidade usando-a. A grossa ponteira de ferro está gasta, portanto é evidente que ele tem caminhado muito com ela.

– Realmente tem lógica – disse Holmes.

– E depois, novamente, há os amigos do C.C.H. Presumo isso como sendo alguma coisa de caça, o grupo de caçadores locais a cujos membros ele provavelmente tenha prestado alguma assistência cirúrgica, e que em retribuição lhe tenham feito um pequeno presente.

– Realmente, Watson, você se excede a si mesmo – disse Holmes, empurrando sua cadeira para trás e acendendo um cigarro.

– Reconheço que, em todas as histórias que bondosamente escreveu das minhas pequenas proezas, você tem costumeiramente subestimado as suas próprias habilidades. Pode ser que você mesmo não seja luminoso, mas você é um condutor da luz. Algumas pessoas, sem possuir gênio, têm um poder notável de estimulá-lo. Confesso, meu caro amigo, que lhe devo muito.

Ele nunca havia dito tanto antes, e devo admitir que seus comentários me deram um imenso prazer, porque eu muitas vezes fiquei aborrecido diante da sua indiferença pela minha admiração e pelas tentativas que fiz para divulgar os seus métodos. Fiquei orgulhoso, também, ao pensar que havia dominado tanto o seu sistema a ponto de aplicá-lo de forma a obter sua aprovação. Ele tomou a bengala de minhas mãos e a examinou atentamente por alguns instantes a olho nu.

Depois, com um ar de interesse, largou o seu cigarro, levando a bengala até a janela e a examinou novamente com uma lente convexa.

– Interessante, embora elementar – disse ao voltar ao seu canto favorito do sofá.

– Com certeza há uma ou duas indicações na bengala, que nos dão a base para várias deduções.

– Alguma coisa me escapou? – perguntei.

– Espero que não haja nada significante que eu não tenha visto.

– Receio, meu caro Watson, que a maioria das suas conclusões esteja errada. Quando eu disse que você me estimulava quis dizer, para ser franco, que, ao notar os seus enganos, fui conduzido ocasionalmente em direção à verdade. Não que você esteja totalmente errado neste caso. Sem dúvida, o homem é um médico do campo. E deve andar bastante.

– Portanto eu estava certo.

– Até esse ponto.

– Mas isso era tudo.

– Não, não, meu caro Watson, não tudo, de modo algum tudo. Eu acreditaria, por exemplo, que um presente a um médico tem mais probabilidade de ser feito por um hospital do que por um grupo de caçadores, e que quando as iniciais *C.C.* são colocadas antes desse hospital as palavras Charing Cross se sugerem por si mesmas muito naturalmente.

– Pode ser que você tenha razão.

– A tendência está nessa direção. E, se tomarmos esta como uma hipótese de trabalho, temos uma nova base para começar a reconstituição do nosso visitante desconhecido.

– Ao supor que C.C.H. signifique Charing Cross Hospital, que outras deduções podemos tirar?

– Nenhuma se sugere por si mesma? Você conhece os meus métodos. Apli-que-os!

– Obviamente que o homem clinicou na cidade antes de ir para o campo.

– Penso que podemos nos aventurar um pouco além disso. Por exemplo, em que ocasião seria mais provável que este presente fosse dado? Quando os seus amigos se reuniriam para dar-lhe um penhor da sua estima? Certamente na época em que o Dr. Mortimer deixou o serviço do hospital para começar na clínica por conta própria. Sabemos que ele recebeu um presente. Sabemos que houve uma mudança de um hospital da cidade para uma clínica no campo. Assim sendo é imaginar demais que o presente foi dado por ocasião da mudança?

– Isso parece bem provável.

– Tudo indica que ele não devia fazer parte da equipe do hospital, uma vez que só um homem bem estabelecido numa clínica londrina podia ter um cargo desses, e um profissional assim não iria aceitar a ir para o campo. O que era ele, então? Se ele estava no hospital e, apesar disso, não fazia parte da equipe só podia ser o cirurgião da casa ou o médico da casa, pouco mais do que um residente. E ele saiu há cinco anos, a data está na bengala. Portanto, o seu médico de família, sério, de meia-idade, desaparece no ar rarefeito, meu caro Watson, e surge um rapaz jovem com menos de trinta anos, amável, sem ambição, distraído, e dono de um cão de estimação, que eu descreveria grosseiramente como sendo maior do que um terrier e menor do que um mastim.

Desconfiado, ri quando Sherlock Holmes inclinou-se para trás no sofá e soltou anéis trêmulos de fumaça em direção ao teto.

– Quanto à última parte, não tenho como conferir – disse –, mas pelo menos posso facilmente descobrir alguns particulares sobre a idade e carreira profissional do homem.

– Dentre os meus livros de medicina tirei o catálogo dos médicos e procurei o nome. Havia vários Mortimer, mas só um podia ser o nosso visitante. Li em voz alta o seu registro.

– Mortimer, James, M.R.C.S., 1882, Grimpen, Dartmoor, Devon. Cirurgião residente, de 1882 até 1884, do Hospital Charing Cross. Vencedor do Prêmio Jackson de Patologia Comparada, com o ensaio intitulado A Doença é uma Reversão? Membro correspondente da Sociedade Sueca de Patologia, autor de Algumas Anomalias do Atavismo – (Lancet, 1882).

– Avançamos?

– (Journal of Psychology, março de 1883). Médico oficial das paróquias de Grimpen, Thorsley e High Barrow.

– Nenhuma menção àqueles caçadores locais, Watson – disse Holmes com um sorriso maroto –, mas um médico rural, como você observou devidamente. Creio que estou razoavelmente justificado em minhas deduções.

– Quanto às características, eu disse, se bem me lembro, amável, sem ambição e distraído. Minha experiência diz que só um homem amável neste mundo recebe provas de estima, só um homem sem ambição abandona uma carreira em Londres por uma no campo, e só um homem distraído deixa a sua bengala e não o seu cartão de visitas após esperar uma hora na sala da gente.

– E o cachorro?

– Costuma carregar esta bengala atrás do seu dono. Como se trata de uma bengala pesada, o cachorro a segura com força pelo meio, e as marcas dos seus dentes são bem visíveis. A mandíbula no cão, como mostra o espaço entre estas marcas, é larga demais, em minha opinião, para um terrier e não suficientemente larga para um mastim. Poderia ser, sim, por Deus, um spaniel de pelos encaracolados.

Ele se levantou e atravessou a sala enquanto falava. Parou na reentrância da janela. Havia um tal tom de convicção em sua voz que ergui os olhos surpreso.

– Meu caro amigo, como você pode ter tanta certeza?

– Simplesmente porque estou vendo o próprio cachorro no degrau da nossa porta, e aí está o toque de campainha do seu dono. Não saia, peço-lhe, Watson. Ele é seu irmão de profissão e a sua presença pode ser útil para mim. Agora é o momento dramático do destino, Watson, quando se ouve um passo sobre a escada que está sendo dado para dentro da vida da gente, e não se sabe se para o bem ou para o mal. O que o Dr. James Mortimer, o homem de ciência, pede a Sherlock Holmes, o especialista em crimes? Entre!

A aparência do nosso visitante me surpreendeu, uma vez que esperava um clínico rural típico. Ele era um homem muito alto e magro, com um nariz comprido com um bico, que se projetava entre dois olhos cinzentos, vivos, dispostos muito juntos e faiscando brilhantemente por trás de um par de óculos com aros de ouro. Estava vestido de uma forma profissional, mas bastante desleixada, porque sua sobrecasaca estava suja e suas calças puídas. Embora fosse jovem, suas costas compridas já estavam curvadas e ele caminhava com um impulso da cabeça para a frente e um aspecto geral de atenta benevolência. Ao entrar, logo viu a bengala na mão de Holmes e correu para ela com uma expressão de alegria.

– Estou tão satisfeito – disse o Sr. Mortimer.

– Não me lembrava se tinha deixado aqui ou no escritório da companhia de navegação. Eu não perderia essa bengala por nada no mundo.

– Deve ser um presente – disse Holmes.

– Sim, senhor!

– Do Hospital Charing Cross?

– De um ou dois amigos de lá por ocasião do meu casamento.

– Meu Deus, meu Deus, isso é mau! – disse Holmes sacudindo a cabeça. O Dr. Mortimer piscou através dos óculos, ligeiramente espantado.

– Por que isso foi ruim?

– Apenas porque o senhor desorganizou as nossas pequenas deduções. O seu casamento, diz o senhor?

– Sim, senhor. Eu me casei, portanto deixei o hospital e com ele todas as esperanças de uma clínica de consultas. Foi necessário para montar um lar próprio.

– Vamos, vamos, afinal de contas não estamos tão errados – disse Holmes.

– E agora, Dr. James Mortimer...

– Senhor, Sr. Holmes, Senhor – um humilde M. R. C. S.

– É um homem de mente precisa, evidentemente.

– Um diletante da ciência, Sr. Holmes, um colhedor de conchas nas praias do grande oceano desconhecido. Presumo que seja ao Sr. Sherlock Holmes a quem esteja me dirigindo e não...

– Não, este é o meu amigo Dr. Watson.

– Tenho muito prazer e interesse em conhecê-lo, Sr. Homes. Ouvi mencionarem o seu nome em relação ao do seu amigo. Dificilmente encontraria um crânio tão dolicocefálico ou um desenvolvimento supra orbital tão bem marcado. O senhor se importa se eu passar o dedo pela sua fissura parietal? Um molde do seu crânio, senhor, até o original estar disponível, seria um ornamento para qualquer museu antropológico. Não quero ser repugnante, mas confesso que cobiço o seu crânio.

Sherlock Holmes indicou uma cadeira ao nosso visitante.

– Percebo que o senhor é um entusiasta da sua linha de ideias, como sou da minha – disse Holmes. E comentou:

– Observo pelo seu indicador que o senhor faz os seus próprios cigarros. Não hesite em acender um.

O homem tirou do bolso papel e fumo e enrolou um no outro com habilidade surpreendente. Ele tinha dedos longos e trêmulos, tão ágeis e inquietos como as antenas de um inseto.

Mesmo silencioso, os pequenos olhares penetrantes do Sr. Holmes revelaram o interesse que ele tinha em nosso curioso companheiro.

– Suponho, senhor – disse ele por fim –, que não foi simplesmente com o fim de examinar o meu crânio que o senhor me deu a honra de passar por aqui ontem à noite e novamente hoje.

– Não, senhor, não; embora esteja feliz por ter tido a oportunidade de fazer isso também. Vim ao senhor, Sr. Holmes, porque reconheci que eu próprio sou um homem pouco prático, e porque me defrontei repentinamente com um problema muito sério e extraordinário. Reconhecendo, como reconheço, que o senhor é o segundo maior especialista da Europa...

– Realmente, senhor! Posso perguntar quem tem a honra de ser o primeiro? – indagou Holmes com certa aspereza.

– Para o homem de mente precisamente científica, obra de Monsieur Bertillon deve sempre apelar fortemente – respondeu.

– Então não é melhor o senhor consultá-lo?

– Eu disse, senhor, para a mente precisamente científica. Mas como um homem de negócios prático o senhor é reconhecido como único. Espero não ter aborrecido o senhor.

– Só um pouco – disse Holmes.

– Doutor Mortimer, peço que o senhor tenha a bondade de me dizer claramente qual a natureza exata do problema para o qual pede a minha assistência.

II

A maldição dos Baskerville

– Trago comigo um manuscrito – revelou o Dr. James Mortimer.

– Notei assim que o senhor entrou na sala – disse Holmes.

– É um manuscrito antigo.

– Do começo do século dezoito, a menos que seja uma falsificação.

– Como pode dizer isso, senhor Holmes?

O senhor apresentou dois a cinco centímetros dele ao meu exame durante todo o tempo em que esteve falando. Seria um mau especialista aquele que não pudesse dar a data de um documento com a precisão de cerca de uma década. O senhor possivelmente pode ter lido a minha pequena monografia sobre o assunto. Dato esse de 1730.

– A data exata é 1742.

O Dr. Mortimer tirou-o do bolso de cima.

– Este documento de família foi entregue aos meus cuidados por Sir Charles Baskerville, cuja morte súbita e trágica há cerca de três meses criou tanta excitação no Devonshire. Posso dizer que fui seu amigo pessoal bem como seu médico assistente. Ele era um homem enérgico, senhor astuto, prático e tão sem imaginação como eu mesmo. Contudo levava este documento muito a sério, e sua mente estava preparada exatamente para esse fim que finalmente o surpreendeu.

Holmes apanhou o manuscrito e estendeu-o sobre o joelho.

– Você pode observar, Watson, o uso alternativo do longo e curto. Essa é uma das várias indicações que me permitiram fixar a data.

Olhei por cima do seu ombro para o papel amarelo e a escrita desbotada. Em cima estava escrito: Solar Baskerville; e embaixo, em números grandes, rabiscados, 1742. Parece ser algum tipo de declaração.

– Sim, é o relato de uma certa lenda que corre na família Baskerville.

– Penso que é sobre algo mais moderno e prático que o senhor deseja me consultar?

– Sim, muito moderno. Um assunto muito prático e premente que tem de ser resolvido dentro de vinte e quatro horas. Mas o manuscrito é curto e está intimamente relacionado com a questão. Com a sua permissão vou ler para o senhor.

Holmes recostou-se na sua cadeira, juntou as pontas dos dedos e fechou os olhos com um ar de resignação. O Dr. Mortimer virou o manuscrito para a luz e leu em voz alta e entrecortada a seguinte narrativa curiosa do mundo antigo:

"Sobre a origem do cão dos Baskerville tem havido muitos relatos, contudo, como eu descendo em linha reta de Hugo Baskerville, e como ouvi a história do meu pai, que também a ouviu do seu, escrevi-a convencido de que ela ocorreu da forma como está aqui narrada. E queria que vocês acreditassem, meus filhos, que a mesma Justiça que pune o pecado possa também com muita bondade perdoá-lo, e que nenhuma condenação seja tão pesada que a não ser pela prece e o arrependimento possa ser removida. Aprendam, então, por esta história a não recear os frutos do passado, mas pelo contrário a ser circunspectos no futuro, que aquelas paixões abomináveis pelas quais a nossa família sofreu tão cruelmente não possam ser novamente libertadas para a nossa perda.

"Saibam, então, que na época da Grande Revolta (cuja história pelo culto Lord Clarendon recomendo muito seriamente à atenção de vocês) este Solar Baskerville pertencia a Hugo do mesmo nome, nem se pode negar que ele fosse um homem muito violento, profano e sem Deus. Isto, na verdade, seus vizinhos podiam ter perdoado, sabendo que os santos nunca floresceram naquelas paragens, mas havia nele um certo humor impiedoso e cruel que tomou o seu nome proverbial pelo Oeste. Acontece que esse Hugo veio a se apaixonar por acaso (se é que, na verdade, uma paixão tão sombria possa ser conhecida por um nome tão luminoso) pela filha de um pequeno fazendeiro que possuía terras perto da propriedade de Baskerville. Mas a mocinha, sendo discreta e de boa reputação, evitava-o sempre, por recear o seu mau nome. Assim aconteceu que um dia de São Miguel o tal Hugo, com cinco ou seis dos seus companheiros desocupados e malvados, entrou furtivamente na fazenda e levou a moça, estando o pai e os irmãos dela fora de casa, como ele sabia muito bem. Quando a levaram para o solar a moça foi posta num quarto superior, enquanto Hugo e seus amigos sentavam-se para tomar uma longa bebedeira, como era costume deles todas as noites. A pobre moça no andar de cima provavelmente teria o seu juízo transtornado com as cantorias, os gritos e as blasfêmias terríveis que chegavam até ela vindas de baixo, porque diziam que as palavras usadas por Hugo Baskerville, quando estava embriagado, eram tais que podiam destruir o homem que as proferisse. Por fim, sob a tensão do seu medo, ela fez aquilo que poderia ter atemorizado o homem mais valente ou ativo, porque com a ajuda da hera crescida que cobria (e ainda cobre) a fachada do sul ela desceu pelo beiral do telhado abaixo e dirigiu-se para casa pela charneca, percorrendo os quinze quilômetros entre o solar e a fazenda do seu pai.

"Acontece que algum tempo depois Hugo deixou por acaso seus convidados para levar comida e bebida, com outras coisas, quiçá piores, para a sua cativa, e assim encontrou a gaiola vazia e a ave desaparecida. Depois, como podia parecer, ele se tornou como possuído pelo demônio porque, descendo as escadas correndo para a sala de jantar, saltou para cima da grande mesa, com as jarras de vinho e pratos de trinchar carne voando diante dele, e gritou em voz alta diante de todos os companheiros que naquela mesma noite entregaria seu corpo e alma aos poderes malignos se não pudesse alcançar a moça. E, enquanto os farristas ficaram aterrados com a fúria do homem, um mais malvado ou, talvez, mais bêbado do que o resto, exclamou da casa, gritando para os criados que deviam selar sua égua e soltar a matilha e, atirando aos cães um lenço da moça, colocou-os em fila e assim partiram fazendo grande alarido ao luar sobre a charneca.

"Por algum tempo os farristas ficaram boquiabertos, incapazes de compreender tudo que havia sido feito com tanta pressa. Mas daí a pouco seus espíritos embrutecidos acordaram para a natureza da façanha que provavelmente ocorreria sobre as charnecas. Tudo agora estava em alvoroço. Alguns pediam suas pistolas. Outros seus cavalos e alguns por suas garrafas de vinho. Mas por fim algum senso voltou às suas mentes enlouquecidas. E todos eles, em número de treze, montaram a cavalo e partiram em perseguição. A lua brilhava clara acima deles. E eles cavalgaram rapidamente lado a lado, tomando a direção que a moça devia ter ido para alcançar sua própria casa.

"Tinham andado dois ou três quilômetros quando passaram por um dos pastores noturnos das charnecas, e gritavam para ele para saber se havia visto a moça. E o homem, segundo a história, estava tão louco de medo que mal podia falar, mas por fim disse que realmente havia visto a infeliz moça com os cães em sua pista. Mas vi mais do que isso, disse ele, porque Hugo Baskerville passou por mim em sua égua preta, e atrás dele corria em silêncio um cão tão infernal que Deus me livre de tê-lo alguma vez em meus calcanhares. Assim os proprietários rurais bêbados amaldiçoaram o pastor e seguiram em frente. Mas logo suas peles ficaram frias, porque aproximou-se um tropel pela charneca e a égua preta, coberta de espuma branca, passou por eles com a rédea arrastando e a sela vazia. Depois os farristas cavalgaram bem juntos, por estarem acometidos de um grande medo, mas ainda seguiram pela charneca, embora cada um, se estivesse só, ficasse muito satisfeito de ter virado a cabeça do seu cavalo. Cavalgando lentamente, alcançaram dessa maneira por fim os cães. Estes, embora conhecidos por sua bravura e raça, estavam ganindo reunidos no alto de uma encosta ou barranco, como o chamamos, na charneca, alguns se afastando furtivamente e outros, com os pelos das costas eriçados e os olhos fixos, contemplando o estreito vale abaixo diante deles.

"O grupo fez uma parada. Homens mais sóbrios, como se pode imaginar, do que quando partiram. A maior parte deles de maneira alguma avançaria. Mas três deles, os mais afoitos ou, pode ser, os mais bêbados, seguiram em frente descendo o barranco. Este se abria num largo espaço no qual havia duas daquelas grandes pedras, que ainda se pode ver lá, que foram colocadas por alguns povos esquecidos nos dias de antanho. A lua estava brilhando clara sobre a terra desbravada, e lá no centro jazia a pobre moça onde havia caído, morta de medo e fadiga. Mas não foi a visão do corpo dela, nem tampouco a do corpo de Hugo Baskerville que jazia perto dela, que arrepiou os cabelos desses três fanfarrões temerários, mas sim o fato de que, de pé sobre Hugo e estraçalhando a sua garganta, havia uma coisa hedionda. Um animal grande e preto com a forma de um cão, porém maior do que qualquer cão que olhos mortais jamais tenham visto. E enquanto eles estavam olhando, a coisa arrancou um pedaço da garganta de Hugo Baskerville. Diante do que, quando esta voltou seus olhos em chamas e mandíbulas gotejantes para eles, os três soltaram gritos agudos de medo e fugiram à rédea solta, ainda gritando, pela charneca. Um deles, dizem, morreu naquela mesma noite pelo que havia visto, e os outros dois não foram senão homens debilitados pelo resto de suas vidas.

"Essa é a história, meus filhos, da vinda do cão que se diz ter perseguido a família tão cruelmente desde então. Se eu a narrei, é porque aquilo que é conhecido claramente produz menos terror do que aquilo que é apenas insinuado e imaginado. Nem se pode negar que muitos da família têm sido infelizes em suas mortes, que têm sido súbitas, sangrentas e misteriosas. Contudo possamos nós nos abrigar na bondade infinita da Providência, que não puniria para sempre os inocentes além da terceira ou quarta geração como ameaça a Sagrada Escritura. A essa Providência, meus filhos, por estas palavras os recomendo, e aconselho-os a título de cautela evitarem atravessar a charneca naquelas horas sombrias em que os poderes malignos são exaltados.

De Hugo Baskerville para os seus filhos Rodger e John, com instruções para não dizerem nada disso à sua irmã Elizabeth. "

Quando o Dr. Mortimer terminou de ler essa singular narrativa, empurrou os óculos para a testa e ficou olhando para o Sr. Sherlock Holmes em frente. O último bocejou e atirou seu cigarro ao fogo.

– Bem? – disse ele.

– O senhor não acha isso interessante?

– Para um colecionador de histórias de fadas.

O Dr. Mortimer tirou do bolso um jornal dobrado.

– Agora, Sr. Holmes, darei ao senhor alguma coisa um pouco mais recente. Este é o Devon Countv Chronicle de 14 de maio deste ano. É um curto relato dos fatos relativos à morte de Sir Charles Baskerville, que ocorreu alguns dias antes daquela data.

Meu amigo se inclinou um pouco para a frente e sua expressão tomou-se atenta. Nosso visitante reajustou os óculos e começou:

"A recente morte súbita de Sir Charles Baskerville, cujo nome tem sido mencionado como o provável candidato Liberal do Devon Central nas próximas eleições, lançou uma sombra sobre o condado. Embora Sir Charles tenha residido no Solar Baskerville por um período relativamente curto, sua afabilidade de caráter e extrema generosidade conquistaram a afeição e o respeito de todos que têm entrado em contato com ele. Nesta época de nouveaux riches é animador encontrar um caso em que o herdeiro de uma velha família do condado que havia enfrentado dias maus seja capaz de fazer sua própria fortuna e trazê-la de volta consigo para restaurar a grandeza arruinada da sua estirpe. Sir Charles, como é do conhecimento geral, ganhou grandes somas de dinheiro na especulação sul-africana. Mais prudente do que aqueles que continuam até a roda da fortuna voltar-se contra eles, realizou seus ganhos e voltou para a Inglaterra com eles. Faz apenas dois anos desde que ele foi residir no Solar Baskerville, e está na boca do povo como eram grandes aqueles planos de reconstrução e melhoramentos que foram interrompidos pela sua morte. Não tendo filhos ele mesmo, era seu desejo expresso abertamente que toda a região devesse, enquanto ele fosse vivo, lucrar com a sua boa fortuna, e muitos terão motivos pessoais para lamentar o seu fim prematuro. Seus donativos generosos às obras de caridade locais e do condado têm sido relatados com frequência nestas colunas.

"Não se pode dizer que as circunstâncias relacionadas com a morte de Sir Charles tenham sido inteiramente esclarecidas pelo inquérito, mas pelo menos foi feito o suficiente para afastar aqueles rumores aos quais a superstição local deu origem. Não há qualquer motivo para suspeitar de crime ou imaginar que a morte pudesse decorrer senão de causas naturais. Sir Charles era viúvo, e um homem que, se pode dizer, tinha hábitos mentais excêntricos. Apesar da sua fortuna considerável, ele era simples em seus gostos pessoais, e seus empregados de casa na Solar Baskerville consistiam de um casal chamado Barrymore, o marido fazendo às vezes de mordomo e a mulher de governanta. O testemunho deles, corroborado pelos de vários amigos, tende a mostrar que a saúde de Sir Charles estava comprometida há algum tempo, indicando especialmente alguma afecção do coração, que se manifestava em mudanças de coloração, falta de ar e ataques agudos de depressão nervosa. O Dr. James Mortimer, o médico assistente e amigo do falecido, testemunhou o mesmo efeito.

E lá no centro jazia a pobre moça onde havia caído (Ilustração de Sidney Paget).

"Os fatos do caso são simples. Sir Charles Baskerville costumava todas as noites antes de se deitar percorrer a famosa Aleia dos Teixos do Solar Baskerville. O depoimento dos Barrymores mostra que esse era o seu hábito. No dia quatro de maio Sir Charles havia declarado sua intenção de partir no dia seguinte para Londres, e havia ordenado a Barrymore para preparar a sua bagagem. Naquela noite ele saiu como habitualmente para o seu passeio noturno, durante o qual costumava fumar um charuto. Ele jamais voltou. À meia-noite Barrymore, ao encontrar a porta da sala ainda aberta, assustou-se. Acendeu uma lanterna e saiu à procura do seu patrão. O dia tinha sido úmido, e as marcas dos pés de Sir Charles foram seguidas com facilidade pela aleia. A meio caminho desse passeio há um portão que dá para a charneca. Havia indicações de que Sir Charles havia estado parado ali por algum tempo. Ele então seguiu pela alameda, e foi na extremidade oposta dela que o seu corpo foi descoberto. Um fato que não foi explicado é a declaração de Barrymore de que as marcas dos pés do seu patrão alteraram o seu caráter a partir do momento em que ele passou pelo portão da charneca, e que ele parecia daí por diante estar andando nas pontas dos pés. Um tal Murphy, um cigano negociante de cavalos, estava na charneca não muito distante na ocasião, mas, conforme sua própria confissão, parece que não estava bem devido à bebida. Ele afirma que ouviu gritos, mas é incapaz de determinar de que direção vinham. Nenhum sinal de violência foi descoberto na pessoa de Sir Charles. E, embora o testemunho do médico indicasse uma distorção facial quase incrível, tão grande que o Dr. Mortimer a princípio recusou-se a acreditar que era o seu amigo e paciente que jazia diante dele, foi explicado que isso é um sintoma não fora do comum nos casos de dispneia e morte por exaustão cardíaca. Essa explicação foi confirmada pelo exame pós-morte, que revelou uma doença orgânica há muito existente, e o júri de instrução apresentou um veredito de acordo com a prova médica. É bom que assim seja, porque obviamente é da maior importância que o herdeiro de Sir Charles deva se estabelecer no solar e continuar as boas obras tão tristemente interrompidas. Se a descoberta prosaica do magistrado não pusesse finalmente um basta nas histórias românticas que têm sido cochichadas em relação ao caso, teria sido difícil encontrar um inquilino para o Solar Baskerville. Sabe-se que o parente mais próximo é o Sr. Sir Henry Baskerville, se ainda estiver vivo, filho do irmão mais moço de Sir Charles Baskerville. O jovem, quando se ouviu falar dele pela última vez, estava na América, e estão sendo feitas investigações para informá-lo da sua boa fortuna. "

O Dr. Mortimer dobrou novamente o seu jornal e colocou-o outra vez no bolso.

– Esses são os fatos públicos, Sr. Holmes, em relação à morte de Sir Charles Baskerville.

– Devo agradecer-lhe – disse Sherlock Holmes – por chamar minha atenção para um caso que certamente apresenta algumas características interessantes. Observei alguns comentários no jornal na época, mas estava excessivamente preocupado com aquele pequeno caso dos camafeus do Vaticano, e na minha ânsia de agradar ao papa perdi o contato com vários casos ingleses interessantes. Esse artigo, diz o senhor, contém todos os fatos públicos?

– Sim, contém.

– Então vamos ver os privados.

Ele recostou-se, juntou as pontas dos dedos e assumiu sua expressão mais impassível e sensata e Dr. Mortimer, que havia começado a apresentar sinais de forte emoção, retomou:

"Estou contando o que não confiei a ninguém. Meu motivo para não ter revelado no inquérito do magistrado é que um homem de ciência evita colocar-se publicamente na posição de parecer endossar uma superstição popular. Eu tinha ainda o motivo do Solar Baskerville, como diz o jornal. Certamente permanecer vaga se fosse feita qualquer coisa para aumentar a sua reputação, já bastante sinistra. Por ambos esses motivos achei que estava justificado em contar menos do que sabia, uma vez que nenhuma vantagem prática podia resultar disso, mas com o senhor não há nenhum motivo por que não deva ser franco.

"A charneca é muito pouco habitada, e aqueles que moram perto uns dos outros se aproximam demais. Por esse motivo eu via bastante Sir Charles Baskerville. À exceção do Sr. Frankland, do Solar dos Lafter, e do Sr. Stapleton, o naturalista, não há nenhum outro homem instruído no raio de muitos quilômetros. Sir Charles era um homem retraído, mas o acaso da sua doença nos reuniu, e uma comunhão de interesses na ciência nos manteve juntos. Havia trazido de volta muitas informações científicas da África do Sul, e passamos juntos muitas noites encantadoras discutindo a anatomia comparada do Boximane e do Hotentote.

"Nos últimos meses tornou-se cada vez mais claro para mim que o sistema nervoso de Sir Charles estava tenso a ponto de se romper. Ele havia levado excessivamente a sério essa lenda que li para os senhores, tanto que, embora caminhasse em seus próprios terrenos, nada o induziria a sair para a charneca à noite. Incrível como possa parecer ao senhor, Sr. Holmes, ele estava honestamente convencido de que um destino horrível pairava sobre sua família, e certamente os antecedentes que pôde dar de seus ancestrais não eram encorajadores. A ideia de alguma presença horrível o perseguia constantemente, e em mais de uma ocasião ele me perguntou se, em minhas visitas médicas à noite, eu havia visto alguma vez uma criatura estranha ou tenha ouvido o ladrar de um cão. A última pergunta ele me fez várias vezes, e sempre com uma voz que vibrava aflição.

"Posso me lembrar bem de ir de trole até sua casa à noite, cerca de três semanas antes da fatalidade. Por acaso ele estava junto à porta da sala. Eu havia descido do meu trole e estava parado diante dele quando vi os seus olhos se fixarem por cima do meu ombro e contemplarem além de mim com a mais horrível expressão de horror. Virei-me rapidamente e tive tempo apenas de vislumbrar alguma coisa que tomei como sendo um grande bezerro preto passando pelo alto da entrada. Ele ficou tão agitado e assustado que fui compelido a descer até o ponto onde o animal havia estado e procurar em volta por ele. Contudo ele havia ido embora, e o incidente pareceu causar a pior impressão sobre a sua mente. Fiquei com ele o tempo todo, e foi nessa ocasião, para explicar a emoção que havia demonstrado, que ele confiou a minha guarda essa narrativa que li para o senhor assim que cheguei. Menciono esse pequeno episódio porque ele assume alguma importância em vista da tragédia que se seguiu, mas eu estava convencido na época de que o assunto era completamente trivial e que essa excitação não tinha nenhuma justificação.

"Era a conselho meu que Sir Charles estava prestes a ir para Londres. Seu coração estava, eu sabia, debilitado, e a ansiedade constante na qual ele vivia, embora a causa dela pudesse ser imaginária, estava afetando seriamente a sua saúde. Achei que alguns meses entre as distrações da cidade mandariam de volta um homem novo. O Sr. Stapleton, um amigo comum que também estava muito preocupado com o seu estado de saúde, era da mesma opinião. Infelizmente, aconteceu essa terrível tragédia.

"Na noite da morte de Sir Charles, Barrymore, o mordomo, que fez a descoberta, mandou Perkins, o criado, a cavalo, me chamar, e como eu estava acordado até tarde pude chegar ao Solar Baskerville uma hora após o evento. Conferi e confirmei todos os fatos que foram mencionados no inquérito. Segui as pegadas pela Aleia dos Teixos, vi o ponto junto ao portão da charneca onde ele pareceu ter esperado, comentei a mudança de forma das impressões após esse ponto, notei que não havia nenhuma outra pegada além das de Barrymore no saibro macio. Finalmente examinei o corpo com todo cuidado, o qual não havia sido tocado até a minha chegada. Sir Charles jazia de bruços, com os braços abertos, os dedos no chão, e com suas feições convulsionadas por alguma emoção forte a tal ponto que mal poderia jurar pela sua identidade. Com certeza não havia nenhum tipo de ferimento físico. Mas uma declaração falsa foi feita por Barrymore no inquérito. Ele disse que não havia nenhuma marca no chão em volta do corpo. Ele não observou nenhuma. Mas eu observei, a alguma distância, mas recentes e claras. "

– Pegadas?

– Pegadas!

– De homem ou de mulher?

O Dr. Mortimer olhou estranhamente para nós por um instante, e sua voz baixou quase até um sussurro quando respondeu:

– Sr. Holmes, eram pegadas de um cão gigantesco!

III

O problema

Admito que diante dessa revelação um tremor percorreu-me o corpo. Havia uma comoção na voz do médico que mostrava que ele próprio estava profundamente abalado pelo que havia nos contado. Holmes inclinou-se para a frente em sua agitação e seus olhos demonstravam o fulgor duro e seco sempre que fica vivamente interessado por algum caso.

– O senhor viu isso? Tão claramente como o estou vendo. E o senhor não disse nada?

– De que adiantava?

– Como foi que ninguém mais as viu?

– As marcas estavam a uns vinte passos do corpo e ninguém atribuiu a elas qualquer importância. Suponho que não devesse ter feito isso se não conhecesse essa lenda.

– Há muitos cães pastores de ovelhas na charneca?

– Sem dúvida, mas esse não era nenhum cão pastor de ovelhas.

– O senhor diz que ele era grande?

– Enorme!

– Mas ele não se aproximou do corpo?

– Não.

– Como estava a noite?

– Úmida e fria.

– Mas não chovia?

– Não.

– Como é a aleia?

– Há duas filas de sebes de teixos antigos com quatro metros de altura e impenetráveis. O caminho no centro tem uns três metros de largura.

– Há alguma coisa entre as sebes e o caminho?

– Sim, há uma faixa de grama com cerca de dois metros de largura de cada lado.

– O senhor diz que o acesso à Aleia dos Teixos é por um portão?

– Sim, o portão de cancela que dá para a charneca.

– Há alguma outra abertura?

– Nenhuma.

– De forma que para se chegar à Aleia dos Teixos é preciso percorrê-la a partir da casa ou então entrar nela pelo portão da charneca?

Há uma saída pela cabana do jardim na extremidade oposta.

– Sir Charles chegou até ela?

– Não! Ele estava caído a uns cinquenta passos dela.

– Agora, diga-me, Dr. Mortimer, e isto é importante, as marcas que o senhor viu estavam sobre o caminho e não sobre a grama?

– Nenhuma marca podia aparecer na grama.

– Elas estavam do mesmo lado do caminho que o portão da charneca?

– Esses detalhes me interessam muito. Por exemplo, a cancela do portão estava fechada?

– Fechada e com cadeado.

– De que altura era ela?

– Cerca de um metro e vinte de altura.

– Então qualquer um podia ter passado por cima dela?

– Sim.

– E que marcas o senhor viu junto à cancela do portão?

– Nenhuma em particular.

– Santo Deus! Ninguém examinou!

– Sim, eu mesmo examinei.

– E não encontrou nada?

– Tudo estava muito confuso. Sir Charles evidentemente havia parado ali por cinco ou dez minutos.

– Como sabe disso?

– Porque a cinza havia caído duas vezes do seu charuto.

– Excelente! Este é um colega, Watson, à nossa maneira. Mas as marcas?

– Ele havia deixado suas próprias marcas por todo aquele pequeno trecho de saibro. Não pude perceber nenhuma outra.

Sherlock Holmes bateu com a mão no joelho num gesto de impaciência.

– Se ao menos eu estivesse lá! – exclamou.

– Esse é naturalmente um caso de interesse extraordinário, e que apresenta imensos desafios ao especialista científico. Essa página de saibro na qual eu podia ter lido tanta coisa foi há muito apagada pela chuva e desfigurada pelos tamancos dos camponeses curiosos. Oh, Dr. Mortimer, Dr. Mortimer, e pensar que o senhor podia ter me chamado! O senhor tem realmente que responder muita coisa.

– Eu não podia chamá-lo, Sr. Holmes, sem revelar esses fatos ao mundo, e já apresentei os meus motivos para não desejar fazer isso. Além disso... além disso...

– Por que hesita?

– Há um reino em que o mais arguto e o mais experiente dos detetives fica impotente.

– O senhor quer dizer que a coisa é sobrenatural?

– Não digo que seja positivamente.

– Não, mas o senhor acredita nisso.

– Desde a tragédia, Sr. Holmes, chegaram aos meus ouvidos vários incidentes difíceis de conciliar com a ordem estabelecida da natureza.

– Por exemplo...

– Descobri que antes de ocorrer o terrível acontecimento várias pessoas viram uma criatura na charneca que corresponde a esse demônio de Baskerville, e que não podia possivelmente ser qualquer animal conhecido da ciência. Todas elas concordam que era uma criatura enorme, luminosa, horrível e espectral. Interroguei estes homens, um deles um camponês bronco, um ferreiro e um fazendeiro da charneca, e todos contam a mesma história desta aparição horrível que corresponde ao cão Cérbero da lenda. Garanto-lhe que o terror reina na região e que dificilmente algum homem atravesse a charneca à noite.

– E o senhor, um homem de ciência treinado, acredita que ele seja sobrenatural?

– Eu não sei em que acreditar.

Holmes encolheu os ombros.

– Até agora limitei as minhas investigações a este mundo – disse.

– De uma maneira modesta combati o mal, mas enfrentar o próprio pai do mal seria, talvez, uma tarefa ambiciosa demais. Contudo o senhor tem que admitir que a pegada é material.

– O cão original era suficientemente material para despedaçar a garganta de um homem, e também diabólico.

– Vejo que o senhor conviveu muito com os super-naturalistas. Mas agora, Dr. Mortimer, diga-me, o senhor sustenta estas opiniões, por que veio me consultar afinal de contas? O senhor me diz, ao mesmo tempo, que é inútil investigar a morte de Sir Charles e que deseja que eu faça isso.

– Eu não disse que o senhor fizesse isso.

– Então, como posso dar-lhe assistência?

– Senhor Holmes, quero que me aconselhe sobre o que devo fazer com o Sir Henry Baskerville, que vai chegar à estação de Waterloo exatamente daqui a uma hora e quinze minutos. – disse Dr. Mortimer, olhando para o seu relógio –

– Como assim, o herdeiro?

– Sim. Com a morte de Sir Charles investigamos o paradeiro desse jovem cavalheiro e descobrimos que era fazendeiro no Canadá. Conforme notícias recebidas, ele é um homem excelente em todos os sentidos. Falo agora não como médico, mas como depositário dos bens e executor do testamento de Sir Charles.

– Não há nenhum outro pretendente, presumo?

– Nenhum. O outro único parente que pudemos localizar foi Sir Rodger Baskerville, o caçula dos três irmãos dos quais o pobre Sir Charles era o mais velho. O segundo irmão, que morreu moço, é o pai desse rapaz Henry. O terceiro, Rodger, era a ovelha negra da família. Ele provém da velha estirpe dominadora dos

Baskerville e era a própria imagem, dizem, do retrato de família do velho Hugo. Ele tornou a Inglaterra quente demais para retê-lo, fugiu para a América Central e morreu lá em 1876 de febre amarela. Henry é o último dos Baskerville. Em uma hora e cinco minutos encontro-me com ele na estação de Waterloo. Recebi um telegrama dizendo que ele chegou a Southampton esta manhã. Agora, Sr. Holmes, o que o senhor me aconselha a fazer com ele?

– Por que ele não pode ir para a casa dos seus pais?

– Parece natural, não parece? Afinal, todo Baskerville que vai para lá enfrenta um destino maligno. Acredito que, se Sir Charles tivesse tido tempo de falar comigo, teria me prevenido contra levar este jovem, o último da velha raça e o herdeiro de grande fortuna, para esse lugar mortal. E, no entanto, não se pode negar que a prosperidade de toda a região pobre e desolada depende da sua presença. Todas as boas obras que foram feitas por Sir Charles cairão em pedaços se não houver nenhum morador no solar. Receio estar por demais envolvido pelo meu próprio interesse óbvio na questão. Por isso que trago o caso ao senhor e peço o seu conselho.

Holmes pensou por algum tempo.

– Sendo bem claro, a questão é esta – disse.

Em sua opinião há uma influência diabólica que torna Dartmoor uma moradia insegura para um Baskerville, esse é o seu parecer?

– Pelo menos posso dizer que há algumas provas de que este pode ser o caso.

– Mas se a sua teoria sobrenatural estiver correta, ela pode causar mal ao jovem em Londres assim como no Devonshire. Um demônio com poderes simplesmente locais, como uma sacristia paroquial, seria uma coisa inconcebível demais.

– O senhor encara a questão mais irreverentemente, Sr. Holmes, do que provavelmente o faria se tivesse contato pessoal com essas coisas. O seu conselho, então, pelo que entendo, é que o rapaz estará tão seguro no Devonshire como em Londres. Ele chega em cinquenta minutos. O que o senhor recomenda?

– Recomendo, senhor, que tome um cabriolé, chame o seu spaniel que está arranhando a minha porta da frente, e siga para Waterloo para receber Sir Henry Baskerville.

– E depois?

– Não diga absolutamente nada a ele até que eu decida o que fazer sobre a questão.

– Quanto tempo o senhor precisa para decidir?

– Exatamente vinte e quatro horas! Às dez horas de amanhã, Dr. Mortimer, espero a sua visita. E traga consigo Sir Henry Baskerville, pois me ajudará em meus planos.

– Combinado, Sr. Holmes!

O Dr. Mortimer rabiscou o encontro no punho da sua camisa e saiu apressado à sua maneira estranha, perscrutadora e distraída. Holmes deteve-o no alto da escada.

– Somente mais uma pergunta, Dr. Mortimer. O senhor diz que antes da morte de Sir Charles Baskerville várias pessoas viram essa aparição na charneca?

– Três pessoas viram.

– Alguma a viu depois?

– Não ouvi falar de ninguém.

– Obrigado. Bom dia!

Holmes voltou para a sua poltrona com aquele olhar calmo de satisfação interior que significava ter uma tarefa adequada pela frente.

– Vai sair, Watson?

– A menos que queira que fique para ajudá-lo.

– Não, meu caro amigo, é no momento da ação que recorro a você para ajudar. Este caso é esplêndido, realmente único sob alguns pontos de vista. Ao passar pela casa de Bradley, peça a ele que me mande meio quilo do mais forte fumo picado inferior, obrigado. Seria conveniente que não volte antes do anoitecer. Pretendo estudar e comparar impressões quanto a este problema muito interessante que nos foi apresentado esta manhã.

Eu sabia que o isolamento e a solidão eram necessários ao meu amigo nessas horas de intensa concentração mental durante as quais ele pesava cada partícula de prova, elaborava teorias alternativas, comparava umas com as outras e decidia que pontos eram essenciais e quais imateriais. Portanto passei o dia no meu clube e não voltei para Baker Street senão à noite. Eram quase nove horas quando regressei à casa.

Ao abrir a porta da sala, minha primeira impressão foi que havia irrompido um incêndio, de tanta fumaça que havia ali. Até a luz do abajur sobre a mesa estava obscurecida pela fumaceira. Quando entrei, senti os vapores acres de fumo forte e ordinário que atacaram minha garganta e me fizeram tossir. Através da fumaça vi vagamente Holmes em seu roupão, encolhido na poltrona com o cachimbo preto de barro entre os lábios. Vários rolos de papel estavam à sua volta.

– Pegou resfriado, Watson? – perguntou.

– Não, é esta atmosfera envenenada.

– Suponho que esteja bastante espessa.

– Espessa? Está insuportável!

– Abra a janela, então! Você esteve no seu clube o dia inteiro, percebo.

– Meu caro Holmes!

– Estou certo?

– Certamente, mas como...

Ele riu da minha expressão confusa.

– Há uma frescura encantadora irradiando de você, Watson, o que torna um prazer exercer quaisquer pequenas faculdades que eu possua à sua custa. Um cavalheiro sai de casa num dia chuvoso e lamacento. Volta imaculado à noite com o brilho ainda em seu chapéu e suas botas. Ele permaneceu imóvel, portanto, o dia inteiro. Ele não é um homem que tenha amigos íntimos. Onde, então, podia ter estado? Não é óbvio?

– Bem, é bastante óbvio.

– O mundo está cheio de coisas óbvias que por acaso ninguém jamais observa. Onde acha você que eu estive?

– Imóvel também.

– Pelo contrário, estive no Devonshire.

– Em espírito?

– Isso mesmo. Meu corpo permaneceu nesta poltrona e consumiu em minha ausência, lamento observar, dois bules grandes de café e uma quantidade incrível de fumo. Depois de você ter saído, eu mandei pedir à Casa Starriford o mapa topográfico desta parte da charneca, e meu espírito pairou sobre ele o dia inteiro. Fico encantado poder conhecer a região.

– Um mapa em escala grande, pressuponho.

– Muito grande!

Holmes desenrolou uma parte do mapa e a segurou sobre o joelho. E mostrou a Watson:

– Aqui você tem a área particular que nos interessa. Esse é o Solar Baskerville, no meio.

– Com uma floresta em volta dela?

– Perfeitamente. Imagino que a Aleia dos Teixos, embora não designada por esse nome, deve se estender ao longo desta linha, com a charneca, como você percebe, à direita dela. Este pequeno grupo de construções aqui é o povoado de Grimpen, onde o nosso amigo Dr. Mortimer tem o seu quartel-general. Num raio de oito quilômetros há, como você vê, apenas algumas moradias dispersas. Aqui está o Solar Lafter, que foi mencionado na narrativa. Há uma casa indicada aqui que pode ser a residência do naturalista, Stapleton, se bem me lembro, era o seu nome. Aqui estão duas casas da fazenda da charneca, High Tor e Foulmire. Depois, a vinte e dois quilômetros de distância, a grande prisão de condenados de Princetown. Entre e em volta destes pontos dispersos estende-se a charneca desolada e sem vida. Este, então, é o palco sobre o qual a tragédia foi encenada, e sobre o qual podemos ajudar a encená-la novamente.

– Deve ser um lugar agreste.

– Sim, o cenário é apropriado. Se o demônio deseja participar dos assuntos dos homens...

– Então você mesmo está se inclinando para a explicação sobrenatural.

– Os agentes do demônio podem ser de carne e osso, não podem? Há duas perguntas à nossa espera no começo. A primeira é se afinal de contas foi cometido algum crime; a segunda é qual é o crime e como foi cometido? Naturalmente, se a hipótese do Dr. Mortimer estiver correta, e estivermos lidando com forças além das leis normais da Natureza, isso será o fim da nossa investigação. Mas temos a obrigação de exaurir todas as outras hipóteses antes de recairmos nessa. Acho que fecharemos essa janela outra vez, se você não se importar. É uma coisa singular, mas acho que uma atmosfera concentrada ajuda a firmar as ideias. Não levo isso ao ponto de entrar numa caixa para pensar, mas esse é o resultado lógico das minhas convicções. Você pensou no caso?

– Sim, pensei um bocado nele durante o dia.

– O que acha dele?

– É muito confuso.

– Certamente tem um caráter próprio. Há pontos de distinção nele. Aquela mudança nas pegadas, por exemplo. O que acha disso?

– Mortimer disse que o homem havia caminhado nas pontas dos pés naquela parte da aleia.

– Ele repetiu apenas o que algum tolo havia dito no inquérito. Por que um homem iria caminhar na ponta dos pés pela aleia?

– O que ele estava fazendo então?

– Ele estava correndo, Watson, correndo desesperadamente, fugindo para salvar a vida, correndo até estourar o coração e cair morto de bruços.

– Correndo de quê?

– Aí está o nosso problema. Há indicações de que o homem estava louco de medo antes mesmo de começar a correr.

– Como pode dizer isso?

– Presumo que a causa dos seus receios chegou até ele através da charneca. Se assim foi, e isso parece muito provável, só um homem que tenha perdido o juízo correria para longe de casa em vez de para ela. Se o depoimento do cigano pode ser tomado como verdadeiro, ele correu soltando gritos de socorro na direção onde havia menos probabilidade de obter ajuda. Depois, por quem estava ele esperando naquela noite, e por que estava esperando por ele na Aleia dos Teixos em vez de em sua própria casa?

– Você acha que ele estava esperando por alguém?

– O homem era idoso e doente. Podemos compreender o fato dele passear à noite, mas o chão estava úmido e a noite inclemente. E natural que ele ficasse parado por cinco ou dez minutos. Como o Dr. Mortimer, com um senso mais prático do que eu atribuiria a ele, deduziu da cinza do charuto?

– Mas ele saía toda noite.

– Acho pouco provável que ele esperasse no portão da charneca todas as noites. Pelo contrário, a prova é que ele evitava a charneca. Naquela noite ele esperou ali. Era a noite anterior à sua partida para Londres. A coisa toma forma e coerente, Watson. Posso pedir-lhe para me dar o violino, e adiaremos levantar qualquer outra hipótese a respeito deste caso até nos encontrarmos com o Dr. Mortimer e Sir Henry Baskerville pela manhã.

IV

Sir Henry Baskerville

Logo cedo a mesa do nosso café foi tirada e Holmes, de roupão, ficou à espera de seus clientes. Eles foram pontuais ao encontro: assim que o relógio bateu dez horas, o Dr. Mortimer entrou, seguido pelo jovem baronete. O último era um homem pequeno, alerta, de olhos escuros, com cerca de trinta anos de idade, de constituição bem vigorosa, com sobrancelhas pretas espessas e um rosto forte, agressivo. Usava um temo xadrez de cor avermelhada e tinha a aparência maltratada de quem passou a maior parte do seu tempo ao ar livre. O cavalheiro tinha um olhar firme e calmo e sua postura demonstrava confiança.

– Este é Sir Henry Baskerville – apresentou o Dr. Mortimer.

Assim que ele cumprimentou o Sr. Sherlock Holmes, o jovem disse:

– Se o meu amigo aqui não tivesse proposto vir visitá-lo esta manhã, eu teria vindo por minha própria conta. Sei que o senhor resolve pequenos enigmas. E tenho um agora que precisa de mais esforço mental do que sou capaz de dedicar a ele.

– Sente-se, por favor, Sir Henry. Entendi dizer que o senhor mesmo teve uma experiência notável desde que chegou a Londres. É isso?

– Nada de muita importância, Sr. Holmes. Apenas uma piada, provavelmente. Foi esta carta, se é que se pode chamá-la de carta, que me chegou esta manhã.

Ele colocou um envelope sobre a mesa, e nós todos nos inclinamos sobre ele. Era de qualidade comum, de cor acinzentada. O endereço (Sir Henry Baskerville, Hotel Northumberland) estava escrito em letras de forma irregulares; o carimbo, Charing Cross, e a data da franquia postal, a noite passada.

– Quem sabia que o senhor ia se hospedar no Hotel Northumberland? – perguntou Holmes, olhando atentamente para o nosso visitante do lado oposto.

– Ninguém podia ter sabido. Nós tomamos essa decisão após meu encontro com o Dr. Mortimer.

– O Dr. Mortimer sem dúvida já estava hospedado lá?

Sir Henry Baskerville (Ilustração de Sidney Paget).

– De jeito nenhum, fiquei em casa de um amigo – disse médico.

– Hum! Alguém parece estar profundamente interessado em seus movimentos, Sir Henry.

– Do envelope ele tirou uma meia folha de papel almaço dobrada em quatro. Depois de aberta inteiramente, a estendeu sobre a mesa. Atravessada no meio dela uma única frase havia sido formada pelo expediente de colar palavras impressas sobre ela. Dizia:

– Se o senhor dá valor à sua vida ou à sua sanidade mental, mantenha-se afastado da charneca. Só a palavra charneca estava escrita à tinta.

– Agora – disse Sir Henry Baskerville – talvez o senhor me diga, Sr. Holmes, que diabo é o significado disso, e quem é que se interessa tanto pelos meus negócios?

– O que o senhor acha disso, Dr. Mortimer? O senhor deve saber que não há nada de sobrenatural quanto a isto, seja como for?

– Não senhor, mas isso pode muito bem vir de alguém que esteja convencido de que a coisa é sobrenatural.

– Que coisa? – perguntou Sir Henry vivamente.

– Parece-me que todos os senhores, cavalheiros, sabem muito mais do que eu sobre os meus próprios negócios.

– O senhor vai partilhar do nosso conhecimento antes de sair desta sala, Sir Henry. Prometo-lhe isso – disse Sherlock Holmes.

– Nós nos limitaremos no momento, com a sua permissão, a este documento muito interessante, que deve ter sido montado e posto no correio ontem à noite. Você tem o Times de ontem, Watson?

– Aqui está o jornal!

– Por favor, abra a página com os editoriais – pediu Holmes.

Ele passou os olhos pelas colunas de cima a baixo e se ateve no artigo principal, ou seja, sobre o livre-comércio.

– Permitam-me dar-lhes um extrato dele. Vocês podem ser convencidos a imaginar que o seu próprio ramo especial de comércio ou a sua própria indústria sejam encorajados por uma tarifa protetora, mas é evidente que essa legislação a longo prazo deve manter a riqueza afastada do país, diminuir o valor das nossas importações e baixar as condições gerais de vida nesta ilha. O que acha disso, Watson? – indagou Holmes, esfregando as mãos com satisfação.

– Você não acha que esse é um sentimento admirável?

O Dr. Mortimer olhou para Holmes com um ar de interesse profissional, e Sir Henry Baskerville ficou ainda mais intrigado.

– Eu não entendo muito de tarifas e coisas desse gênero – disse ele –, mas parece-me que saímos um pouco do caminho no que diz respeito a esse bilhete.

– Pelo contrário, acho que estamos particularmente quentes sobre a pista, Sir Henry. Watson conhece mais a respeito dos meus métodos do que o senhor, mas receio que ele mesmo não entendeu completamente a importância desta frase.

– Realmente confesso que não vejo nenhuma relação.

– E apesar disso, meu caso Watson, há uma relação tão íntima que uma é extraída da outra. (Vocês, sua, seu, vida, valor, manter afastado, da). Os senhores não veem agora de onde estas palavras foram tiradas?

– Com os diabos, o senhor tem razão! Ora, se isso não é esperteza! – exclamou Sir Henry.

– Se restou qualquer dúvida isso é resolvido pelo fato de que as palavras mantenha-se afastado e da estão cortadas em um pedaço.

– Verdade, é isso mesmo!

– Realmente, Sr. Holmes, isso excede qualquer coisa que eu pudesse ter imaginado – disse o Dr. Mortimer.

– Posso compreender qualquer um dizer que as palavras eram de um jornal, mas que o senhor possa dizer qual, e acrescentar que elas vieram do editorial, é realmente uma das coisas mais notáveis que jamais vi. Como conseguiu isso?

– Presumo, doutor, que o senhor possa distinguir o crânio de um negro do de um esquimó.

– Com toda certeza!

– Mas como?

– Porque esse é o meu passatempo especial. As diferenças são óbvias. A crista supraorbital, o ângulo facial, a curva do maxilar...

– Mas este é o meu passatempo especial, e as diferenças são igualmente óbvias. Há tanta diferença aos meus olhos entre o tipo burguês pesado de um artigo do Times e a impressão desleixada de um vespertino de meio pêni como pode haver entre o seu negro e o seu esquimó. A descoberta de tipos é um dos ramos mais elementares de conhecimento para o especialista dedicado ao crime, embora eu confesse que certa vez, quando era muito moço e inexperiente, confundi o Leeds Mercui com o Western Morning News. Agora um editorial do Times é completamente diferente, e estas palavras não podiam ter sido tiradas de nenhum outro. Como isso foi feito ontem, a grande probabilidade era que devêssemos encontrar as palavras no exemplar de ontem.

– Então, até onde posso acompanhá-lo, Sr. Holmes – disse Sir Henry Baskerville –, alguém cortou esta mensagem com uma tesoura...

– Tesoura de unhas – disse Holmes.

– O senhor pode ver que era uma tesoura de lâminas muito curtas, já que quem cortou teve que dar duas tesouradas nas palavras manter afastado.

Realmente, alguém cortou a mensagem com uma tesoura de lâmina curta, colocou-a com goma...

– Cola! – disse Holmes.

– Com cola sobre o papel. Mas quero saber por que a palavra charneca teve que ser escrita a tinta?

– Porque ele não pôde encontrá-la impressa. As outras palavras eram todas simples e podiam ser encontradas em qualquer exemplar, mas charneca era menos comum.

– Sim, claro, isso explicaria o fato. O senhor notou mais alguma coisa nessa mensagem, Sr. Holmes?

– Há pelo menos duas indicações. Percebo que foi tomado o maior cuidado para remover todas as pistas. O endereço, o senhor observa, está escrito em letras de forma irregulares. Acontece que normalmente o Times é lido por pessoas cultas. Podemos concluir que a carta foi composta por um homem instruído que desejava passar por ignorante, e seu esforço para disfarçar sua própria letra sugere que esta pode ser conhecida, ou vir a ser reconhecida pelo senhor. Outra coisa, o senhor pode observar que as palavras não estão coladas numa linha precisa, mas que algumas estão bem mais altas do que as outras. Vida, por exemplo, está completamente fora do seu lugar adequado. Isso pode indicar descuido ou agitação e pressa por parte do autor. Acredito na segunda hipótese, já que o assunto era evidentemente importante, e é pouco provável que o autor dessa carta fosse descuidado. Porque estaria com pressa, já que qualquer carta postada até de manhã cedo chegaria a Sir Henry antes de ele deixar o seu hotel. O autor receava uma interrupção, e de quem?

– Agora entramos na região das suposições – disse o Dr. Mortimer.

– Aliás, na região em que avaliamos as probabilidades e escolhemos as mais prováveis. Isso é o uso científico da imaginação, mas temos sempre alguma base material para começar as especulações. Agora, o senhor pode chamar de palpite, sem dúvida, mas tenho quase certeza de que este endereço foi escrito num hotel.

– Como é que o senhor pode dizer isso?

– Ao observar bem, verá que tanto a caneta como a tinta criaram problemas para o autor. A caneta respingou duas vezes numa única palavra, e secou três vezes num endereço curto, mostrando que havia pouca tinta no tinteiro. Agora, uma caneta ou tinteiro particular raramente chegam a esse estado, e a combinação dos dois dificilmente acontece. Mas em hotéis é raro conseguir qualquer outra coisa boa, em termos de canetas ou tinteiros. Caso pudéssemos examinar as cestas de papéis dos hotéis em volta de Charing Cross até encontrarmos os restos do editorial recortado do Times, provavelmente colocaríamos as mãos diretamente na pessoa que mandou esta mensagem inusitada.

Holmes examinou detalhadamente o papel-almaço sobre o qual estavam coladas as palavras, segurando-o apenas a três a cinco centímetros dos olhos. Depois, o largou, dizendo:

– É uma meia folha de papel vazia, sem sequer uma marca d'água. Acho que extraímos o máximo que pudemos desta curiosa carta.

– Sir Henry, aconteceu-lhe mais alguma coisa interessante desde que chegou a Londres?

– Não, acho que não, Sr. Holmes.

– O senhor não percebeu ninguém o seguindo ou vigiando?

– Parece que entrei direto na trama de um romance barato – disse o nosso visitante.

– Por que diabo alguém devia me seguir ou vigiar?

– O senhor não tem mais nada a nos comunicar antes de entrarmos nessa questão?

– Isso depende do que o senhor considere importante comunicar.

– Sir Henry, qualquer coisa vale a pena ser dita.

Sir Henry sorriu.

– Pouco conheço da vida inglesa porque passei quase todo o meu tempo nos Estados Unidos e no Canadá. Mas espero que perder uma das botas da gente não faça parte da rotina normal daqui.

– O senhor perdeu uma de suas botas?

– Meu caro senhor – disse o Dr. Mortimer –, isso é apenas um extravio. O senhor a encontrará quando voltar ao hotel. De que adianta incomodar o Sr. Holmes com ninharias desse tipo?

– Bem, ele disse que comunicasse qualquer coisa fora da rotina comum.

– Exatamente – disse Holmes –, por mais insignificante que o incidente possa parecer.

– Uma bota sumiu e não consegui saber nada do sujeito que a limpa. O pior de tudo é que eu só comprei o par ontem à noite no Strand, e nunca as usei – revelou Sir Henry.

– Se o senhor nunca as usou, por que as colocou do lado de fora para limpar?

– Eram botas de couro e nunca foram engraxadas, por isso que as coloquei do lado de fora – explicou.

– Quer dizer que, ao chegar a Londres ontem, o senhor foi logo comprar um par de botas?

– Na realidade, comprei uma porção de coisas na companhia do Dr. Mortimer. O senhor compreende, se vou ser um proprietário rural lá no sul, devo me apresentar segundo o papel, e por certo fiquei um pouco descuidado em meus hábitos lá no oeste. Comprei roupas e por um par de botas marrons, paguei seis dólares. E tive uma roubada antes mesmo de usá-las.

– Parece um fato sem propósito – disse Sherlock Holmes.

– Confesso que partilho da crença do Dr. Mortimer de que brevemente a bota será encontrada.

– E agora, cavalheiros! – disse o baronete decidido.

– Já falei bastante sobre o pouco que sei. É hora de os senhores cumprirem sua promessa e fazerem um relato completo do que estamos todos visando.

– O seu pedido é muito razoável – respondeu Holmes.

– Dr. Mortimer, por favor, conte a sua história como a relatou para nós.

Assim encorajado, nosso amigo cientista tirou seus papéis do bolso e apresentou todo o caso como havia feito na manhã anterior. Sir Henry Baskerville ouviu atentamente e, ao fim da narrativa, comentou surpreso:

– Tudo indica que recebi uma herança com uma vingança. Naturalmente, ouvi falar do cão desde criança, quando ficava no quarto de brinquedos. Era a história favorita da família, embora, na época, eu nunca a levasse a sério. Com a morte do meu tio, tudo está fervendo na minha cabeça. O senhor parece ainda não ter chegado a uma conclusão se isso é um caso para um policial ou um padre.

– Verdade.

– E agora recebo uma carta estranha no hotel. Suponho que isso se encaixe na história.

– Isso parece mostrar que alguém sabe mais do que nós sobre o que acontece na charneca – disse o Dr. Mortimer.

– E também – disse Holmes – que alguém não está com más intenções a seu respeito, já que o avisa do perigo.

– Ou pode ser que ele deseje, para seus próprios fins, me afugentar.

– Naturalmente, isso também é possível. Devo-lhe muito, Dr. Mortimer, por apresentar-me um problema que oferece várias alternativas interessantes. Mas o ponto prático que temos que decidir agora, Sir Henry, é se é ou não aconselhável para o senhor ir para o Solar Baskerville.

– Por que não devo ir?

– Suponho que seja perigoso.

– O senhor quer dizer perigoso por causa do demônio da família ou de seres humanos?

– Justamente isso que temos de descobrir.

– Qualquer que seja, minha conduta é a mesma. Não há nenhum demônio no inferno, Sr. Holmes, e não há nenhum homem na terra que possa me impedir de ir para o lar da minha própria família, e o senhor pode considerar essa como a minha resposta final.

Enquanto falava, Sir Henry franziu as sobrancelhas escuras e seu rosto corou de vermelho escuro. Era evidente que o temperamento agressivo dos Baskerville se mantinha neste último representante.

"Lá está o nosso homem, Watson! Venha!"(Ilustração de Sidney Paget)

– Mal tive tempo de pensar em tudo que os senhores me contaram. Admito que para tomar uma decisão, preciso passar uma hora tranquila sozinho. São onze e meia agora, Sr. Holmes, e vou voltar diretamente para o meu hotel.

– Suponho que o senhor e seu amigo, o Dr. Watson, apareçam e almocem conosco às duas. Até lá espero clarear minha mente sobre esta coisa.

– Está conveniente para você, Watson?

– Perfeitamente!

– Tudo certo, os senhores podem nos esperar. Devo chamar um cabriolé?

– Prefiro caminhar, pois essa situação me perturbou bastante.

– Irei junto com o senhor, com prazer – disse seu companheiro.

– Assim, vamos nos encontrar novamente às duas horas. Até mais tarde!

Ouvimos os passos dos nossos visitantes descendo a escada e a batida da porta da frente. De repente, Holmes havia mudado do sonhador para o homem de ação.

– Pegue seu chapéu e botas, Watson, depressa! Não temos um momento a perder!

Correu para o seu quarto em seu roupão e, em alguns segundos, voltou numa sobrecasaca. Descemos juntos a escada correndo e saímos para a rua. O Dr. Mortimer e Baskerville ainda podiam ser vistos a cerca de cento e oitenta metros na nossa frente na direção da rua Oxford.

– Devo correr para alcançá-los?

– Por nada deste mundo, meu caro Watson. Estou muito satisfeito com a sua companhia. Certamente, nossos amigos vão aproveitar bem a caminhada.

Holmes apressou o passo até termos diminuído a distância que nos separava pela metade. Depois, ainda nos mantendo distantes, entramos na rua Oxford, em seguida, na rua Regent. Os nossos amigos pararam uma vez em frente de uma vitrina. E Holmes fez o mesmo. Um instante depois, ele deu um pequeno grito de satisfação e, seguindo a direção dos seus olhos atentos, vi que uma carruagem com um homem dentro, que havia parado do outro lado da rua, avançava agora lentamente mais uma vez.

– Lá está o nosso homem, Watson! Venha! Daremos uma boa olhada nele, antes que o percamos de vista.

Na hora percebi uma barba preta cerrada e um par de olhos penetrantes voltarem-se para nós através da janela lateral do cabriolé. Instantaneamente o alçapão do teto voou para cima, alguma ordem foi dada cocheiro e o cabriolé saiu em disparada pela rua Regent. Holmes olhou em volta ansioso à procura de outro táxi, mas não apareceu nenhum vazio. Depois correu atrás pelo meio da corrente do tráfego, mas a dianteira era muito grande e a carruagem já havia desaparecido.

– Essa agora! – disse Holmes, inconformado pelo fracasso da perseguição entre os veículos.

– Watson, Watson já viu tanta má sorte e incapacidade juntas? – lamentou Holmes.

– Quem era o homem?

– Não tenho a menor ideia.

– Um espião?

– Evidentemente que Baskerville foi acompanhado muito de perto por alguém desde que está na cidade. De outra forma como poderia saber tão depressa que era o Hotel Northumberland que ele havia escolhido? Se alguma pessoa o seguiu no primeiro dia, com certeza o seguiu também no segundo. Você deve ter reparado que fui duas vezes até a janela enquanto o Dr. Mortimer lia a sua lenda.

– Sim, estou lembrado.

– Eu procurava por ociosos na rua, mas não vi nenhum. Estamos lidando com um homem muito esperto, Watson. Embora eu ainda não saiba se é uma influência benévola ou maligna, reconheço sua força e determinação. Quando os nossos amigos saíram, decidi os seguir imediatamente na esperança de identificar seu acompanhante invisível. Ele foi tão astuto que não se arriscou a seguir a pé, mas tomou um cabriolé a fim de poder esperar escondido ou ultrapassá-los depressa e, assim, escapar à atenção deles. Por um lado, a estratégia dele foi vantajosa. Porém, uma desvantagem óbvia: o cocheiro.

– Que pena não termos anotado o número da carruagem!

– Meu caro Watson, você acha mesmo que eu deixaria de anotar o número? Dois-sete-zero-quatro é o nosso homem. Mas isso pouco nos ajuda por enquanto.

– Não vejo como você poderia ter descoberto mais coisas.

– Ao observar a carruagem, eu devia ter me virado rapidamente e caminhado na direção oposta. Podia ter tomado um segundo táxi e seguido o primeiro a uma distância considerável, ou melhor ainda, ter ido para o Hotel Northumberland e esperado lá. Quando o nosso desconhecido tivesse seguido Baskerville até em casa, poderíamos ter a oportunidade de jogar com ele o seu próprio jogo e ver para onde ia. Do jeito que está, por uma perseguição indiscreta, da qual o nosso adversário tirou vantagem com extraordinária rapidez, perdemos o nosso homem.

Estávamos passeando devagar pela rua Regent durante esta conversa, e o Dr. Mortimer e Sir Henry haviam desaparecido diante de nós há muito tempo.

– Não há nenhum propósito em segui-los – disse Holmes.

– O seguidor fugiu e não voltará. Devemos avaliar e jogar outras cartas que temos em mãos. Você pode reconhecer o homem dentro da carruagem?

– Posso jurar apenas quanto à barba.

– E eu também. Provavelmente, a barba é falsa. Um homem esperto, numa missão tão delicada, não precisa de uma barba exceto para esconder suas feições. Entre aqui, Watson!

Holmes entrou num dos escritórios de mensageiros do bairro, onde foi saudado calorosamente pelo gerente.

– Ah, Wilson, vejo que não se esqueceu do pequeno caso no qual tive a felicidade de ajudá-lo?

– Claro que não, senhor. Afinal, o senhor salvou o meu bom nome e talvez a minha vida.

– Meu caro amigo, não exagera. Lembro-me, Wilson, de que você tem entre os seus rapazes um garoto chamado Cartwright, que demonstrou competência durante a investigação.

– Sim senhor, ele ainda está conosco.

– Pode chamá-lo? Obrigado! E eu gostaria de trocar esta nota de cinco libras.

Um garoto de quatorze anos com uma fisionomia inteligente e perspicaz havia atendido ao chamado do gerente. Ele estava parado agora, contemplando com grande reverência o famoso detetive.

– Empreste-me o catálogo de hotéis – pediu Holmes.

– Cartwright, aqui estão os nomes.

– Obrigado!

– Você vai visitar cada um destes hotéis.

– Sim, senhor.

– Você começará em cada caso, dando ao porteiro do lado de fora um xelim. Aqui estão vinte e três xelins.

– Sim, senhor.

– Você dirá a ele que deseja ver o papel usado de ontem. Você dirá que um telegrama importante foi extraviado e que você o está procurando. Compreendeu?

– Sim, senhor.

– Mas o que você está procurando realmente é a página central do Times com alguns buracos cortados nela com tesoura. Aqui está um exemplar do Times. É esta a página. Você pode reconhecê-la facilmente, não pode?

– Sim, senhor.

– Em cada caso o porteiro do lado de fora mandará chamar o porteiro do vestíbulo, a quem você dará um xelim. Você então ficará sabendo em, provavelmente, vinte casos dos vinte e três que o lixo do dia anterior foi queimado ou removido. Nos outros três casos mostrarão a você um monte de papéis e você procurará esta página do Times entre eles. As probabilidades são contra você encontrá-la. Aqui estão mais dez xelins para o caso de emergências. Informe-me por telegrama na Baker Street o quanto antes.

– E agora, Watson, resta-nos apenas descobrir por telegrama a identidade do cocheiro, número dois-sete-zero-quatro, e depois vamos entrar numa das galerias de quadros da rua Bond e esperar calmamente até a hora de irmos para o hotel.

V

Três fios partidos

Impressionante como Sherlock Holmes tinha a capacidade de desligar sua mente à vontade. Durante duas horas o estranho caso no qual tínhamos sido envolvidos parecia não existir, pois ele ficou totalmente absorvido pelos quadros dos mestres belgas modernos. Ele não falava nada além da arte, da qual tinha as ideias mais primitivas, desde que saímos da galeria até nos vermos no Hotel Northumberland.

– Sir Henry Baskerville está em cima à sua espera – disse o empregado.

– Ele me pediu para conduzi-lo para cima imediatamente quando chegasse.

– O senhor permite-me olhar o seu registro? – disse Holmes.

– De maneira alguma.

O livro mostrava que dois nomes haviam sido acrescentados após o de Baskerville. Um era Teophilus Johnson e família, de Newcastle; o outro, a Sra. Oldmore e criada, de High Lodge, Alton.

– Certamente esse deve ser o mesmo Johnson que eu conhecia – disse Holmes ao recepcionista.

– Um advogado, não é, de cabelos grisalhos e que anda mancando?

– Não, senhor, este é o Sr. Johnson, o dono da mina de carvão, um cavalheiro muito ativo, não mais velho do que o senhor.

– O senhor certamente está enganado quanto ao seu ramo.

– Não, senhor! Ele frequenta este hotel há muitos anos, e é muito conhecido aqui.

– Isso liquida o assunto.

– A Sra. Oldmore, também. Parece que me lembro do nome. Desculpe pela minha curiosidade, mas muitas vezes ao se visitar um amigo encontra-se outro.

– Ela é uma senhora inválida, cavalheiro. Seu marido foi prefeito de Gloucester. Ela sempre vem para cá quando está na cidade.

– Muito obrigado, receio não poder garantir conhecê-la.

– Descobrimos um fato muito importante com essas perguntas, Watson – continuou ele em voz baixa ao subirmos a escada juntos.

– Sabemos agora que as pessoas que estão tão interessadas em nosso amigo não se hospedaram no seu próprio hotel. Isso significa que embora elas estejam, como vimos, muito ansiosas em vigiá-lo estão igualmente preocupadas de que eles não as vejam. Este agora é um fato muito sugestivo.

– O que indica?

– Sugere..., meu caro amigo, o que diabo aconteceu?

Ao chegarmos ao alto da escada, esbarramos no próprio Sir Henry Baskerville. Seu rosto estava rubro de cólera e ele segurava uma bota velha e empoeirada numa das mãos. Estava tão furioso que mal conseguia falar, e quando falou foi num dialeto muito mais amplo e mais ocidental do que qualquer outro que tivéssemos ouvido dele pela manhã.

– Parece que estão me fazendo de trouxa neste hotel – reclamou.

– Eles vão descobrir que começaram a fazer travessuras com o homem errado, a menos que tenham cuidado. Que diabo, se aquele sujeito não conseguir achar a minha bota perdida haverá problemas. Posso suportar uma piada com bom humor, Sr. Holmes, mas eles exageraram um pouco desta vez.

– Ainda está procurando a sua bota?

– Sim, senhor, e não vou desistir de encontrá-la.

– Mas, certamente, o senhor disse que era uma bota marrom nova?

E era, senhor. E agora é uma bota preta velha.

– O quê! O senhor não quer dizer...

– É exatamente isso o que quero dizer. Eu tinha apenas três pares, o marrom novo, o preto velho e o de couro envernizado, que estou usando. Ontem à noite eles levaram um pé do meu marrom, e hoje roubaram um do preto. Entendeu? Fale homem, e não fique parado olhando!

Um garçom alemão agitado havia aparecido na cena.

– Investiguei por todo o hotel, mas não ouvi uma palavra a respeito.

– Ou essa bota volta antes do anoitecer ou irei ver o gerente e dizer a ele que vou deixar este hotel.

– Ela será encontrada, senhor, prometo. Peço que tenha um pouco mais de paciência.

– Espero porque esta é a última coisa minha que perderei neste covil de ladrões.

– Sr. Holmes, me desculpe por incomodá-lo com tal ninharia.

– Esses fatos estranhos merecem atenção.

– O senhor leva isso muito a sério.

– Como o senhor explica isso?

– Simplesmente não tento explicar. Parece a coisa mais louca e estranha que jamais me aconteceu.

– A mais estranha, talvez... – disse Holmes pensativo.

– O que o senhor próprio conclui disso?

– Ainda é incompreensível. Este seu caso é muito complexo, Sir Henry. Quando considerado em conjunto com a morte do seu tio e comparado a todos os quinhentos casos de que cuidei, este é o mais misterioso. Mas temos vários fios em nossas mãos, e as probabilidades são de que um ou outro deles nos guie para a verdade. Podemos perder tempo seguindo o fio errado, porém mais cedo ou mais tarde devemos chegar ao certo.

Ele segurava uma bota velha e empoeirada numa das mãos (Ilustração de Sidney Paget).

Tivemos um almoço agradável no qual pouco foi dito sobre o assunto que nos reuniu. Foi na sala particular para a qual nos dirigimos depois que Holmes perguntou a Baskerville quais eram as suas intenções.

– Ir para o Solar Baskerville.

– Quando?

– No fim de semana.

– Apesar de tudo – disse Holmes –, acho sua decisão sensata. Tenho provas de que o senhor está sendo seguido em Londres, e entre os milhões desta grande cidade é difícil descobrir quem são estas pessoas ou qual pode ser o objetivo delas. Se as intenções delas forem más elas podem fazer-lhe uma maldade, e seremos impotentes para impedi-la.

Holmes continuou:

– Dr. Mortimer, sabia que o senhor foi seguido esta manhã ao sair da minha casa?

O Dr. Mortimer estremeceu.

– Seguido! Por quem?

– Infelizmente, ainda não posso dizer-lhe. O senhor tem entre os seus vizinhos ou conhecidos em Dartmoor algum homem com uma barba preta abundante?

– Não. Pensando bem, sim. Barrymore, o mordomo de Sir Charles, é um homem com uma barba preta abundante.

– Ah! Onde está Barrymore?

– Ele toma conta do solar.

– É melhor nos certificarmos se ele está realmente lá ou se ele pode estar em Londres.

– Como se pode fazer isso?

– Dê-me um formulário de telegrama. Isso será suficiente.

– E está tudo pronto para Sir Henry?

– Dr. Mortimer, enderece para o Sr. Barrymore, Solar Baskerville. Qual é a agência de telégrafo mais próxima?

– Grimpen.

– Muito bem. Mandaremos um segundo telegrama para o agente do correio Grimpen:

– Telegrama para o Sr. Barrymore, a ser entregue em suas próprias mãos. Se ausente, por favor devolva o telegrama para Sir Baskerville, Hotel Northumberland.

– Esse segundo telegrama deve nos informar antes da noite se Barrymore está no seu posto no Devonshire ou não.

– Isso mesmo! – disse Baskerville.

– A propósito, Dr. Mortimer, quem é este Barrymore, afinal?

– Ele é filho do velho zelador, que está morto. Eles cuidam da mansão há quatro gerações. Pelo que sei, ele e a mulher são um casal tão respeitável como qualquer um do condado.

– Ao mesmo tempo – disse Baskerville – está bem claro que desde que não haja ninguém da família no solar,essas pessoas têm uma casa ótima, enorme e nada que fazer.

– Isso é verdade!

– De qualquer modo, Barrymore teve algum lucro com testamento de Sir Charles? – perguntou Holmes.

– Ele e a mulher devem receber quinhentas libras cada um.

– Ali! Eles sabem que vão receber isso?

– Sim! Sir Charles gostava muito de falar sobre os legados do seu testamento.

– Interessante!

– Espero – disse o Dr. Mortimer – que o senhor não desconfie de todos os que receberam um legado de Sir Charles, porque eu também fui beneficiado com mil libras.

– Realmente! E alguém mais?

– Foram determinadas várias quantias insignificantes para outras pessoas e feitas numerosas obras públicas de caridade. Todo o resto foi para Sir Henry.

– E qual era o montante do resto?

– Setecentas e quarenta mil libras.

Holmes ergueu as sobrancelhas, surpreso.

– Desconhecia de que uma soma tão gigantesca estivesse envolvida – disse.

– Sir Charles tinha fama de ser rico, mas nós não sabíamos quão rico ele era até virmos a examinar as suas ações. O valor total dos bens chegava perto de um milhão.

– Santo Deus! Esse é um prêmio pelo qual um homem pode bem lançar-se a um jogo desesperado. E mais uma pergunta, Dr. Mortimer.

– Caso acontecesse alguma coisa ao nosso jovem amigo aqui, desculpe pela hipótese desagradável, quem herdaria os bens?

– Já que Rodger Baskerville, o irmão caçula de Sir Charles, morreu solteiro, os bens iriam para os Desmonds, que são primos distantes. James Desmond é um clérigo idoso em Westmoreland.

– Obrigado! Esses detalhes são todos de grande valia. O senhor conheceu o Sr. James Desmond?

– Sim! Uma vez ele veio ao sul visitar Sir Charles. É um homem de aparência venerável e leva uma vida de santidade. Lembro-me que ele se recusou a aceitar qualquer doação de Sir Charles, embora este insistisse com ele.

– E esse homem de gostos simples seria o herdeiro dos bens de Sir Charles?

– Ele seria o herdeiro da propriedade, porque esta está vinculada. Seria também o herdeiro do dinheiro a menos que fosse disposto de outra forma pelo dono atual, que pode, naturalmente, fazer o que quiser com ele.

– E o senhor fez o seu testamento, Sir Henry?

– Não! Não fiz, Sr. Holmes. Não tive tempo, porque só ontem é que soube como andavam as coisas. Mas de qualquer maneira acho que o dinheiro deve acompanhar o título e a propriedade. Essa era a ideia do meu pobre tio. Como o proprietário vai restaurar as glórias dos Baskerville se não tiver dinheiro suficiente para manter a propriedade? Casa, terras e dólares devem ir juntos.

– Exatamente! Sir Henry, estou de acordo com o senhor quanto à conveniência de ir logo para o Devonshire. Há apenas uma condição que devo impor, que não vá sozinho.

– Então, o Dr. Mortimer volta comigo.

– Mas o Dr. Mortimer tem a sua clínica para cuidar, e a casa dele fica a quilômetros de distância da sua. Mesmo com toda a boa vontade do mundo, ele pode ser incapaz de ajudá-lo.

– Sir Henry, o senhor deve contar com um homem de confiança, que esteja sempre ao seu lado.

– É possível o senhor próprio vir, Sr. Holmes?

– Se as coisas se complicarem, tentarei estar presente em pessoa. Por ora, peço que o senhor compreenda que, com a minha extensa clientela para atender e com os constantes apelos que chegam a mim de várias partes, é impossível eu me afastar de Londres por um tempo indefinido. Atualmente, um dos nomes mais respeitados da Inglaterra está sendo maculado por um chantagista, e só eu posso impedir um escândalo desastroso. No momento, como o senhor vê, não posso ir para Dartmoor.

– Quem o senhor recomendaria, então?

Holmes pôs a mão sobre o meu braço.

– Se o meu amigo concordar em acompanhá-lo, garanto que não há nenhum homem de confiança que valha mais a pena ter ao seu lado quando o senhor estiver num aperto.

A proposta me pegou completamente de surpresa, mas antes de eu ter tempo de responder, Baskerville tomou a minha mão e apertou-a calorosamente. E disse:

– Se o senhor vier para o Solar Baskerville e me fizer companhia, nunca me esquecerei disso e sempre serei grato ao senhor.

A promessa de aventura sempre me fascina. Fiquei comovido com palavras de Holmes e pela forma como o baronete saudou-me como companheiro.

– Irei com prazer! – aceitei a proposta.

– Não sei corno posso empregar melhor o meu tempo.

– Você me manterá minuciosamente informado – disse Holmes.

– Quando surgir um problema, orientarei você como deve agir. Suponho que no sábado vocês possam estar prontos para partir.

– Está bem para você, Dr. Watson?

– Perfeitamente!

– Assim no sábado, nos encontraremos no trem das dez e meia para Paddington.

Havíamos nos levantado para sair quando Baskerville deu um grito de triunfo e, mergulhando num dos cantos da sala, apanhou uma bota marrom debaixo da escrivaninha.

– Minha bota perdida! – exclamou.

– Que as nossas dificuldades possam todas desaparecer com a mesma facilidade! – disse Sherlock Holmes.

– Essa situação é muito singular, como pode subir uma coisa e, de repente, aparece do nada? – disse o Dr. Mortimer, indignado.

– Revistei esta sala cuidadosamente antes do almoço.

– E eu também – disse Baskerville.

– Cada centímetro dela.

– Com certeza não havia nenhuma bota.

– A menos que o garçom a tenha trazido enquanto almoçávamos.

Ao ser chamado e indagado, o Alemão afirmou não saber nada a respeito. Aliás, toda investigação foi em vão.

Sem contar toda a história sombria da morte de Sir Charles, em dois dias aconteceram incidentes inexplicáveis, que incluíam o recebimento da carta em letra de forma, o espião de barba preta no cabriolé e a perda da bota marrom nova e da bota preta velha. E, agora, o reaparecimento da bota marrom nova.

Holmes permaneceu sentado em silêncio no cabriolé quando voltamos para a Baker Street. A sua testa contraída e fisionomia ansiosa demonstravam que ele tentava entender e encaixar todos estes episódios estranhos e aparentemente desconexos. Durante toda a tarde e até a noite ele ficou sentado, perdido no fumo e na meditação.

Pouco antes do jantar, Holmes recebeu dois telegramas. O primeiro dizia:

– Acabei de saber que Barrymore está no Solar Baskerville.

O segundo:

– Visitei vinte e três hotéis, como ordenado, mas lamento informar, impossível descobrir vestígio na folha cortada do Times. Cartwright.

– Lá se vão dois dos meus fios, Watson. Não há nada mais desafiante do que um caso em que tudo vai contra você. Temos de procurar em volta outro rasto.

– Ainda temos o cocheiro que levou o espião.

– Isso mesmo, por isso é que telegrafei ao registro oficial para obter o seu nome e endereço. Aguardo uma resposta à minha pergunta.

A campainha tocou e chegou quem Holmes esperava. O próprio cocheiro, um sujeito de aspecto grosseiro.

– Recebi um recado do escritório central de que um cavalheiro neste endereço esteve perguntando pelo dois-sete-zero-quatro – disse o homem assustado.

– Guiei meu cabriolé estes sete anos e nunca tive uma palavra de queixa. Vim direto da cocheira para cá para perguntar ao senhor pessoalmente o que tem contra mim.

– Não tenho nada no mundo contra você, meu bom homem – disse Holmes.

– Pelo contrário, tenho mais dinheiro para você se me der respostas claras às minhas perguntas.

– Hoje meu dia está bom, sem dúvida – disse o cocheiro com um sorriso.

– O que o senhor deseja perguntar, cavalheiro?

– Primeiramente, o seu nome e endereço, caso precise de você outra vez.

– John Clayton, rua Turpey, no Burgo. Meu cabriolé é da Cocheira de Shipley, perto da Estação de Waterloo.

Sherlock Holmes tomou nota.

– Agora, Clayton, fale-me sobre o passageiro que veio observar esta casa às dez horas desta manhã e, depois, seguiu os dois cavalheiros pela rua Regent.

O homem ficou um pouco embaraçado.

– Não adianta eu contar coisas ao senhor porque parece saber tanto quanto eu – disse.

– A verdade é que o cavalheiro me disse que era detetive e que eu não devia contar nada sobre ele a ninguém.

– Meu caro, este é um caso muito sério. E você pode se prejudicar se tentar esconder alguma coisa de mim. Você diz que o seu passageiro disse que era detetive?

– Sim, disse.

– Quando foi que ele se identificou como detetive?

– Ao sair do cabriolé.

– Ele disse mais alguma coisa?

– Ele mencionou seu nome.

Holmes lançou um rápido olhar de triunfo para mim.

– Oh, ele revelou seu nome? Isso foi imprudente. Qual foi o nome que ele mencionou?

– O nome dele – disse o cocheiro – era Sherlock Holmes.

Nunca tinha visto antes meu amigo tão perplexo. A resposta do cocheiro o deixou, por um instante, pasmo e em silêncio. Depois, estourou numa gostosa gargalhada.

– Um toque, Watson, um toque inegável! – disse.

– Sinto uma lâmina tão ágil e flexível como a minha própria. Ele me atingiu em cheio desta vez.

– Quer dizer que o nome dele era Sherlock Holmes? – confirmou com o cocheiro.

– Sim, senhor, esse era o nome do cavalheiro.

– Perfeito! Agora, diga-me onde o pegou e tudo que aconteceu.

– Ele me chamou às nove e meia na Praça Trafalgar. Disse que era detetive e me ofereceu dois guinéus se eu fizesse exatamente o que ele quisesse o dia inteiro. E exigiu que eu não perguntasse nada. Concordei com muita satisfação. Primeiro, seguimos até o Hotel Northumberland e lá ficamos parados até dois cavalheiros saírem e pegarem um cabriolé da fila. Seguimos o cabriolé deles até ele parar em alguma parte aqui perto.

– Nesta mesma porta? – perguntou Holmes.

– Bem, não estou certo disso, mas ouso dizer que meu passageiro sabia tudo a respeito. Paramos a meio caminho na rua e esperamos uma hora e meia. Depois, os dois cavalheiros passaram por nós, caminhando, e seguimos pela Baker Street e pela...

– Eu sei! – disse Holmes.

– Até descermos bem próximo do fim da rua Regent. Depois meu passageiro levantou o alçapão e gritou para eu seguir direto para a Estação de Waterloo o mais depressa que pudesse. Chicoteei a égua e chegamos lá em menos de dez minutos. Depois ele pagou como combinado, e entrou na estação. Só que no momento em que estava indo embora virou-se e disse:

– Talvez queira saber que esteve transportando o Sr. Sherlock Holmes.

– Foi assim, senhor, que soube o nome dele.

– Compreendo. E você não o viu mais?

– Não, depois que ele entrou na estação.

– E como você descreveria o Sr. Sherlock Holmes?

O cocheiro coçou a cabeça.

– Ele não é um cavalheiro muito fácil de descrever. Eu daria a ele quarenta anos de idade e tinha altura média, cinco a sete centímetros mais baixo do que o senhor. Estava vestido como um grã-fino, tinha uma barba preta, cortada quadrada na ponta e o rosto pálido. Isto é tudo que posso dizer, nada mais.

– Cor dos olhos?

– Não sei.

– Nada mais que você possa lembrar?

– Não, nada.

– Assim sendo, aqui está o seu dinheiro. Há mais esperando por você se puder trazer mais informações. Boa noite!

– Boa noite, cavalheiro. Muito obrigado!

John Clayton partiu satisfeito e Holmes virou-se para mim com um encolher de ombros e um sorriso triste.

– Lá se vai o nosso terceiro fio, e acabamos onde começamos – disse.

– Que patife esperto! Ele sabia o nosso número, sabia que Sir Henry Baskerville havia me consultado, identificou quem eu era na rua Regent, imaginou que eu havia conseguido o número do cabriolé e que colocaria as mãos no cocheiro. Por isso, mandou de volta este recado audacioso. Reconheço, Watson, que desta vez conseguimos um inimigo a nossa altura. Levei um xeque-mate em Londres. Posso apenas desejar a você melhor sorte no Devonshire. Confesso que não estou tranquilo quanto a isso.

– Isso o quê?

– Quanto a mandar você. Esse é um negócio feio, Watson, um negócio feio e perigoso, e quanto mais o conheço menos gosto dele. Sim, meu caro amigo, você pode rir, mas dou-lhe a minha palavra que ficarei muito satisfeito em tê-lo de volta em segurança, e ileso à Baker Street mais uma vez.

VI

O Solar Baskerville

Sir Henry Baskerville e o Dr. Mortimer estavam prontos no dia marcado, e partimos como combinado para o Devonshire. Sherlock Holmes foi comigo até a estação e deu-me, ao nos separarmos, suas últimas instruções e conselhos.

– Não vou predispor sua mente sugerindo teorias ou desconfianças, Watson – disse.

– Quero que você simplesmente me comunique os fatos da maneira mais completa possível, e pode deixar para mim a teorização.

– Que tipo de fatos? – perguntei.

– Qualquer coisa que possa ter relação, mesmo indiretamente, com o caso. Fique atento, especialmente, com as relações entre o jovem Henry Baskerville e seus vizinhos ou quaisquer novos particulares relativos à morte de Sir Charles. Fiz algumas investigações nos últimos dias, mas receio que os resultados foram negativos. A única coisa que parece ser certa é que o Sr. James Desmond, o herdeiro seguinte, é um cavalheiro idoso com uma disposição muito amável, ou seja, essa perseguição não deve partir dele. Acho realmente que podemos afastá-lo das nossas hipóteses. Restam as pessoas que cercam realmente Sir Henry Baskerville na charneca.

– Não seria bom em primeiro lugar livrar-se deste casal Barrymore?

– De maneira alguma. Se eles forem inocentes, seria uma injustiça cruel; e se forem culpados, estaríamos desistindo de todas as probabilidades de colocarmos a culpa neles. Vamos mantê-los, sim, na nossa lista de suspeitos. Depois há um criado no solar. Há dois fazendeiros na charneca. Há o nosso amigo, Dr. Mortimer, que creio ser honesto, e há sua mulher, de quem não sabemos nada. Há esse naturalista Stapleton, e há sua irmã, que dizem ser uma moça atraente. Há o Sr. Frankland, do Solar Lafter, que é também uma peça desconhecida, e há mais um ou dois vizinhos. Essas são as pessoas que devem constituir o seu mundo

– Farei o melhor que puder.

– Você tem armas, suponho.

– Sim, achei bom levá-las.

– Com toda certeza. Mantenha o seu revólver perto de você noite e dia, e nunca afrouxe as suas precauções.

Nossos amigos já haviam reservado um vagão de primeira classe, e estavam esperando por nós na plataforma.

– Não, não temos nenhuma novidade – disse o Dr. Mortimer em resposta às perguntas do meu amigo.

– Posso jurar que não fomos seguidos durante os últimos dois dias. Nunca saímos sem manter uma vigilância estrita, e ninguém poderia ter escapado à nossa atenção.

– Os senhores sempre ficaram juntos, presumo.

– Exceto ontem à tarde. Geralmente dedico um dia à pura diversão quando venho à cidade, de forma que passei um tempo no Museu do Colégio dos Cirurgiões.

– E eu fui dar um passeio no parque – disse Baskerville.

– Mas não tivemos nenhum problema de qualquer espécie.

– Vocês foram imprudentes, da mesma forma – disse Holmes sacudindo a cabeça contrariado.

– Por favor, Sir Henry, não saia sozinho. Encontrou a sua outra bota?

– Não, senhor, está perdida para sempre.

– Realmente isso é muito estranho. Enfim, adeus!

E acrescentou assim que o trem começou a deslizar pela plataforma:

– Tenha em mente, Sir Henry, uma das frases daquela velha lenda que o Dr. Mortimer leu para nós, e evite a charneca nas horas de escuridão, quando os poderes do mal são exaltados.

Avistei a plataforma quando a havíamos deixado bem para trás, e vi a figura alta e austera de Holmes parada e olhando fixamente para nós.

A viagem foi rápida e agradável. Conversei mais intimamente com os meus dois companheiros e me distraí com o spaniel do Dr. Mortimer. Em poucas horas a terra marrom passou a ser avermelhada, o tijolo havia mudado para o granito, e vacas pastavam em campos bem cercados de sebes onde o capim viçoso e a vegetação exuberante revelavam um clima mais rico, embora mais úmido. O jovem Baskerville olhava encantado pela janela e gritava de prazer ao reconhecer as características familiares do cenário do Devon.

– Estive numa boa parte do mundo desde que o deixei, Dr. Watson, mas nunca vi um lugar que se comparasse a este – disse o jovem herdeiro.

– Nunca vi um homem do Devonshire que não jurasse por seu condado – comentei.

– Isso depende da estirpe dos homens tanto quanto do condado – retrucou o Dr. Mortimer.

– Um olhar para o nosso amigo aqui revela a cabeça redonda do celta, que tem em seu interior o entusiasmo celta e a força do afeto. A cabeça do pobre Sir Charles era de um tipo muito raro, meio gaélica, meio hibérnica em suas características. Mas o senhor era muito moço quando viu pela última vez o Solar Baskerville, não era?

– Eu era um adolescente por ocasião da morte do meu pai e nunca havia visto o solar, porque ele morava numa pequena casinha na costa sul. De lá eu fui direto para a casa de um amigo na América. Digo aos senhores que tudo é tão novo para mim como para o Dr. Watson, e estou tão ansioso quanto possível para ver a charneca.

– Está? Então o seu desejo é facilmente atendido, porque aí está a sua primeira visão da charneca – disse o Dr. Mortimer, apontando pela janela do vagão.

Acima dos quadrados verdes dos campos e da curva baixa de uma floresta erguia-se à distância uma colina cinzenta, melancólica, com um cume estranho, denteado, indistinto e vago na distância, como alguma paisagem fantástica num sonho.

Baskerville ficou por um longo tempo fitando aquele lugar em que os homens do seu sangue haviam exercido o poder por tantos anos e deixado sua marca tão profunda. Percebi, no seu semblante, o quanto este lugar estranho representava para ele. Lá estava ele sentado, com o seu terno xadrez e o seu sotaque americano, no canto de um prosaico vagão de estrada de ferro. Enquanto eu olhava para o seu rosto moreno e expressivo, sentia mais do que nunca como ele era um verdadeiro descendente daquela longa linhagem de homens de sangue nobre, belicosos e dominadores. Havia orgulho, coragem e força em suas sobrancelhas espessas, narinas sensíveis e olhos grandes, amendoados. Se há mesmo maldição naquela charneca agreste, tenho certeza de que o jovem Henry tem coragem suficiente para enfrentar qualquer situação difícil e perigosa.

O trem parou numa pequena estação à margem da estrada e nós todos descemos. Do lado de fora, além da cerca branca baixa, um trole com um par de cavalos de pernas curtas nos esperava. Nossa chegada foi um grande acontecimento, porque o chefe da estação e os carregadores se reuniram à nossa volta para levar a nossa bagagem.

Era um lugar campestre encantador e simples, mas estranhei que junto ao portão estavam parados dois homens com uniformes escuros de soldados que se inclinaram sobre seus fuzis curtos e olharam atentamente para nós quando passamos.

O cocheiro, um homem de feições grosseiras, contorcidas, saudou Sir Henry Baskerville e, em alguns minutos, estávamos voando rapidamente pela larga estrada branca. Pastagens onduladas subiam em curva de ambos os lados, e velhas casas com frontões apareciam por entre a espessa folhagem verde. Se antes apareciam campos tranquilos e iluminados pelo sol, agora erguiam-se sempre escuros contra o céu crepuscular, com a curva extensa e sombria da charneca interrompida pelas colinas sinistras e denteadas.

O trole entrou numa estrada lateral e fizemos uma curva ascendente através de caminhos estreitos ,margens altas dos dois lados e forradas de musgo gotejante e samambaias carnudas. Espinheiros mosqueados brilhavam à luz do sol poente. Ainda subindo constantemente, passamos por uma ponte estreita de granito e contornamos um córrego barulhento que descia rapidamente, borbulhando, espumando e bramindo por entre os rochedos cinzentos. Tanto a estrada como o córrego serpenteavam por um vale denso de carvalhos. A cada volta, Baskerville expressava encantamento e fazia perguntas intermináveis. A seus olhos tudo parecia lindo, mas para mim um tom de melancolia pairava sobre os campos que mostravam a evidente marca do ano que terminava. Folhas amarelas atapetavam os caminhos e caíam esvoaçando sobre nós quando passávamos.

O chocalhar das nossas rodas morreu à distância quando passamos através de montes de vegetação apodrecida, tristes oferendas, como me pareceram, para a natureza lançar diante da carruagem do herdeiro dos Baskerville que voltava.

– Ora! – gritou o Dr. Mortimer.

– O que é isso?

Uma curva íngreme de terreno coberto de urzes, um esporão afastado da charneca, estava diante de nós. No alto, rígida e clara como uma estátua equestre sobre o seu pedestal, estava um soldado montado, moreno e sério, com o fuzil suspenso em posição sobre o seu antebraço. Ele estava vigiando a estrada pela qual viajávamos.

– O que é isso, Perkins? – perguntou o Dr. Mortimer.

Nosso cocheiro virou-se um pouco no seu assento.

– Há um condenado fugido de Princetown, senhor. Faz três dias agora que ele está fora, e os guardas vigiam todas as estradas e todas as estações, mas até agora não o viram. Os fazendeiros por aqui não gostam disso, senhor, mas isso é um fato.

– Sei que eles ganham cinco libras se puderem dar informações.

– Sim, senhor, mas a possibilidade das cinco libras é muito pouco comparada com a possibilidade de ter a garganta da gente cortada. O senhor compreende, não é como qualquer condenado comum. Esse é um homem que não se detém diante de nada.

– Quem é ele, então?

– É Selden, o assassino de Notting Hill.

Lembrei-me bem do caso, porque foi um por que Holmes havia se interessado devido à ferocidade peculiar do crime e à injustificada brutalidade que haviam marcado todas as ações do assassino. A comutação da sua sentença de morte tinha sido devida a algumas dúvidas quanto à sua sanidade completa, tão atroz foi a sua conduta.

Nosso trole havia chegado ao alto de uma elevação e diante de nós surgiu a enorme extensão da charneca, salpicada de montículos funerários e picos rochosos, retorcidos e escarpados. Um vento frio precipitou-se dela e nos deixou tremendo. Em algum ponto lá, naquela planície desolada, estava emboscado este homem perverso, escondido numa toca como um animal feroz, com o coração cheio de perversidade contra toda a raça que o havia expulso do seu meio. Não faltava senão isto para completar o sinistro cenário da extensão vazia, o vento frio e o céu que escurecia. Até Baskerville ficou em silêncio e apertou mais o seu sobretudo em volta dele.

Deixamos os campos férteis atrás e abaixo de nós. Olhamos para eles atrás agora, com os raios inclinados de um sol baixo transformando os córregos em fios de ouro e brilhando sobre a terra vermelha revirada pelo arado e o amplo emaranhado das florestas. A estrada diante de nós ficou mais desolada e agreste sobre as encostas castanho-avermelhadas e verde-oliva, salpicadas de rochedos gigantescos. De vez em quando passávamos por uma casinha da charneca, com paredes e telhados de pedra, sem nenhuma trepadeira para quebrar o seu perfil severo. De repente olhamos para dentro de uma depressão parecida com uma xícara, forrada de carvalhos e outras pequenas árvores coníferas que tinham sido torcidos e inclinados pela fúria de anos de tempestades. Duas torres altas e estreitas erguiam-se por sobre as árvores. O cocheiro apontou com o seu chicote.

– O Solar Baskerville! – anunciou.

Admirado, seu patrão se levantou com olhar brilhante e faces coradas. Minutos depois chegamos aos portões da casa do porteiro, uma confusão fantástica de rendilhado em ferro batido, com pilares corroídos pelo tempo de cada lado, manchados de líquens e encimados pelas cabeças de urso dos Baskerville. A casa do porteiro era uma ruína de granito preto e estruturas ou caibros nus, mas diante dele havia um prédio novo, meio construído, o primeiro fruto do ouro sul-africano de Sir Charles.

Pelo portão entramos na avenida, onde as rodas foram silenciadas novamente entre as folhas, e as velhas árvores lançavam seus ramos num túnel sombrio sobre

"Bem-vindo, Sir Henry!" (Ilustração de Sidney Paget).

as nossas cabeças. Baskerville estremeceu quando olhou para o longo caminho escuro no qual a casa tremeluzia como um fantasma na extremidade oposta.

– Foi aqui o acidente? – perguntou em voz baixa.

– Não. A Aleia dos Teixos fica do outro lado.

O jovem herdeiro olhou em volta com o rosto sombrio.

– Não é de se espantar que o meu tio achasse que ia ter problemas num lugar como este – disse.

– Ele é capaz de assustar qualquer homem. Dentro de seis meses, vou colocar uma fila de lampiões elétricos, com mil velas Swan e Edison, bem aqui em frente da porta do vestíbulo, e vocês não o reconhecerão.

A avenida abria-se numa ampla extensão de turfa, e a casa estava diante de nós. O centro era um pesado bloco de construção do qual se projetava urna varanda. Toda a frente estava coberta de hera, com um trecho aparado aqui e ali onde uma janela ou um brasão irrompia através do véu escuro. Desse bloco central erguiam-se as torres gêmeas, antigas, com ameias, e perfuradas por muitas frestas. À direita e à esquerda das torres ficavam alas mais modernas de granito preto. Uma luz baça brilhava através das pesadas janelas góticas com parapeitos, e da alta chaminé que se erguia do telhado íngreme, muito inclinado, subia uma única coluna de fumaça preta.

– Bem-vindo, Sir Henry! Bem-vindo ao Solar Baskerville!

Um homem alto saiu da sombra da varanda para abrir a porta do trole. O vulto de uma mulher destacou-se contra a luz amarela do vestíbulo. Ela saiu e ajudou o homem a desembarcar nossas malas.

– O senhor não se importa de eu ir direto para casa, Sir Henry? – disse o Dr. Mortimer.

– Minha mulher está me esperando.

– Certamente o senhor ficará para jantar conosco?

– Não, preciso ir. Provavelmente encontrarei algum trabalho à minha espera. Poderia mostrar a casa a você, mas Barrymore será um guia melhor do que eu. Não hesite nunca, à noite ou de dia, em mandar me chamar se precisar de alguma coisa.

O barulho das rodas desapareceu no caminho enquanto Sir Henry e eu entramos no vestíbulo, e a porta bateu pesadamente atrás de nós. Era um ótimo aposento em que nós estávamos, grande, majestoso e pesadamente decorado com traves enormes de carvalho escurecido pelo tempo.

Na grande lareira antiga ornada com altos cães de ferro, um fogo de lenha crepitava e estalava. Sir Henry e eu estendemos nossas mãos para ele, porque estávamos entorpecidos pela longa viagem. Depois ficamos observando à nossa volta para a janela alta e estreita de vitral antigo, os lambris de carvalho, as cabeças de veado, os brasões de armas sobre as paredes, todos escuros e sombrios à luz velada da lâmpada central.

– Tudo isto é exatamente como eu imaginava – disse Sir Henry. Não é o velho retrato de um velho lar de família? E pensar que esta deve ser a mesma mansão na qual minha família morou durante quinhentos anos. Parece-me solene pensar nisso.

O seu rosto moreno iluminava-se de entusiasmo infantil enquanto olhava à sua volta. A luz batia sobre ele onde estava parado, mas longas sombras estendiam-se pelas paredes e pendiam como um dossel preto acima dele. Barrymore havia voltado dos nossos quartos para onde levou nossa bagagem. Ele parou diante de nós com os modos controlados de um criado bem treinado. Era um homem de aspecto notável, alto, bonito, com uma barba preta, quadrada, pálido e de feições distintas.

– O senhor deseja que o jantar seja servido imediatamente?

– Está pronto?

– Dentro de alguns minutos, senhor. Os senhores vão encontrar água quente em seus quartos. Minha mulher e eu ficaremos felizes, Sir Henry, de ficarmos com o senhor até que venha a tomar suas novas providências. Mas o senhor há de compreender que nas novas circunstâncias esta casa exigirá uma criadagem considerável.

– Não entendi! Que novas circunstâncias?

– Só quis dizer, senhor, que Sir Charles levava uma vida muito isolada, e nós podíamos cuidar das suas necessidades. O senhor, naturalmente, vai querer ter mais companhias, e assim vai precisar de mudanças em sua criadagem.

– Você quer dizer que você e sua mulher desejam sair?

– Somente quando for completamente conveniente para o senhor, Sir Henry.

– Mas a sua família tem estado conosco há várias gerações, não tem? Eu lamentaria começar minha vida aqui rompendo uma velha ligação de família.

Notei alguns sinais de emoção no rosto pálido do mordomo.

– Eu e minha mulher também nos sentimos assim. Para dizer a verdade, senhor, éramos muito ligados a Sir Charles, e sua morte foi um choque e tornou este ambiente muito penoso para nós. Receio que nunca mais teremos tranquilidade de espírito no Solar Baskerville.

– O que, então, vocês pretendem fazer?

– Queremos nos estabelecer nós mesmos com algum negócio. Acredito, senhor, que seremos bem-sucedidos. Afinal, Sir Charles foi muito generoso conosco, nos dando meios para isso. E agora talvez seja melhor mostrar ao senhor os seus quartos.

Uma galeria quadrada com balaustrada corria em volta do alto do velho vestíbulo, com acesso por uma escada dupla. Desse ponto central estendiam-se dois longos corredores por toda a extensão do prédio, para os quais se abriam todos os quartos. O meu próprio era na mesma ala que o de Baskerville, quase ao lado do dele.

Esses quartos pareciam ser muito mais modernos do que a parte central da casa, e o papel claro e numerosas velas contribuíram um pouco para remover a impressão sombria que a nossa chegada havia deixado em minha mente.

Já a sala de jantar que se abria do vestíbulo era um lugar de sombra e escuridão. Era um cômodo comprido com um degrau separando o estrado onde a família se sentava da parte inferior reservada para os seus dependentes. Numa extremidade, uma galeria do menestrel a dominava. Traves negras cruzavam-se acima de nossas cabeças, com um teto escurecido pela fumaça.

Uma sombria linha de ancestrais em todas as variedades de trajes, desde o cavalheiro elisabetano até o dândi da regência, nos contemplava do alto e nos intimidava com a sua companhia silenciosa.

Eu e o baronete Henry conversamos pouco. Da minha parte, fiquei satisfeito quando a refeição terminou e pudemos ir para a moderna sala de bilhar e fumar um cigarro.

– Palavra, este não é um lugar muito agradável – disse Sir Henry.

– Suponho que a gente possa se adaptar a ele, mas sinto-me um pouco fora do quadro atualmente. Não estranho que o meu tio ficasse um pouco apreensivo de morar completamente sozinho numa casa assim como esta.

– Dr. Watson, sugiro deitarmos cedo esta noite. Talvez as coisas possam parecer mais alegres pela manhã.

Afastei minhas cortinas antes de ir para a cama e olhei pela janela. Ela se abria sobre o espaço gramado que ficava em frente da porta do vestíbulo. Além, dois bosques de árvores gemiam e se agitavam ao vento que aumentava. Uma meia-lua irrompeu através das aberturas das nuvens que corriam. À sua luz fria vi, além das árvores, uma orla de rochas interrompida e a curva baixa e extensa da charneca melancólica. Fechei a cortina, achando que a minha última impressão ia ficar de acordo com o resto.

Todavia essa não foi bem a última. Sentia-me, ao mesmo tempo, cansado e alerta, virando-me inquieto de um lado para o outro, procurando pelo sono que não vinha. Ao longe, um carrilhão batia os quartos de hora. Fora isso, um silêncio mortal pesava sobre a velha casa.

De repente, na própria calada da noite, chegou um som aos meus ouvidos, claro, ressonante e inconfundível. Eram os soluços de uma mulher, a respiração abafada e reprimida de alguém dilacerado por um sentimento incontrolável. Sentei-me na cama e fiquei ouvindo atentamente. O barulho não podia vir longe, com certeza era na casa. Durante meia hora esperei com cada nervo desperto, mas não veio nenhum outro som exceto o do carrilhão e o farfalhar da hera sobre a parede.

VII

Os Stapleton do Solar Merripit

A manhã bela e fresca do dia seguinte ajudou a apagar de nossas mentes a impressão sombria e cinzenta que tivemos durante nossa primeira experiência no Solar Baskerville. Quando Sir Henry e eu nos sentamos para tomar café, a luz do sol entrava aos borbotões pelas altas janelas com parapeitos, lançando manchas de aquarela dos brasões de armas que as cobriam. Os lambris escuros brilhavam como bronze aos raios dourados, uma atmosfera muito diferente da noite anterior.

– Acho que é a nós mesmos e não à casa que temos que culpar! – disse o baronete.

– Estávamos cansados e apreensivos da nossa viagem de trole, por isso ficamos com uma impressão sombria do lugar. Agora estamos descansados e confortáveis, e tudo está alegre.

– Discordo! Não era somente uma questão de imaginação – respondi.

– O senhor, por acaso ouviu alguém, uma mulher, acredito eu, soluçando durante a noite?

– Na realidade, quando eu estava meio dormindo, acho que ouvi alguma coisa desse tipo. Esperei bastante tempo, mas não ouvi mais nada. Daí, concluí que não passava de um sonho.

– Eu ouvi distintamente, e tenho certeza de que era realmente o soluçar de uma mulher.

– Devemos perguntar ao mordomo a respeito imediatamente.

– Ele tocou a campainha e perguntou a Barrymore se ele podia explicar o fato.

Curiosamente, notei que as feições pálidas do mordomo ficaram mais abatidas assim que ouviu a pergunta do seu patrão.

– Há apenas duas mulheres na casa, Sir Henry – respondeu.

– Uma é a copeira, que dorme na outra ala. A outra é a minha mulher, e garanto que o som não pode ter vindo dela.

Com certeza ele mentiu porque, depois do café, encontrei a Sra. Barrymore no longo corredor com o sol batendo em cheio sobre o seu rosto. Ela é uma mulher grande, impassível, de feições grosseiras e com uma expressão dura e insensível. Contudo, seus olhos estavam vermelhos e suas pálpebras inchadas. Foi ela, então, que chorou durante a noite, e seu marido deve saber disso. No entanto, ele assumiu o risco óbvio da descoberta declarando que não foi ela. Por que ele havia feito isso? E por que ela chorou tão amargamente? Em torno desse homem pálido, bonito e de barba preta já se acumulava contradição e mistérios.

Barrymore foi a primeira pessoa a descobrir o corpo de Sir Charles, e tínhamos apenas a sua palavra para todas as circunstâncias que levaram à morte do velho. Seria ele quem vimos no táxié na rua Regent? A barba parece a mesma. O cocheiro descreveu um homem um pouco mais baixo, mas essa impressão pode facilmente ter sido errônea. Como poderia sanar a dúvida definitivamente? Obviamente a primeira coisa a fazer era perguntar ao agente do correio de Grimpen se o telegrama foi entregue realmente nas próprias mãos de Barrymore. Fosse a resposta qual fosse, eu devia pelo menos ter alguma coisa a informar a Sherlock Holmes.

Sir Henry tinha numerosos documentos para examinar após o café. Assim, aproveitei a oportunidade para sair. Fiz uma caminhada agradável de quatro quilômetros e meio pela margem da charneca. Cheguei a um pequeno lugarejo cinzento, no qual os dois prédios maiores, que eram a estalagem e a casa do Dr. Mortimer, erguiam-se bem acima do resto. O agente do correio, que era também o dono do armazém da aldeia, lembrou-se claramente do telegrama.

– Certamente, senhor – disse –, mandei entregar o telegrama ao Sr. Barrymore exatamente como ordenado.

– Quem o entregou?

– Meu filho aqui. James, você entregou o telegrama ao Sr. Barrymore na mansão na semana passada, não entregou?

– Sim, papai, entreguei!

– Em suas próprias mãos? – perguntei.

– No momento, ele estava em cima no sótão, de forma que não pude entregá-lo em suas próprias mãos. Mas entreguei-o em mãos da Sra. Barrymore, e ela prometeu entregá-lo ao marido imediatamente.

– Você viu o Sr. Barrymore?

– Não, senhor. Eu disse ao senhor que ele estava no sótão.

– Se você não o viu, como sabe que ele estava no sótão?

– A sua própria mulher evidentemente devia saber onde ele estava – disse o agente do correio, irritado.

– Ele não recebeu o telegrama? Se houve algum engano, compete ao próprio Sr. Barrymore reclamar.

Parecia inútil insistir na investigação, mas estava claro que, apesar do truque de Holmes, não tínhamos nenhuma prova de que Barrymore não estivesse estado em Londres o tempo todo. Suponhamos que assim fosse, que o mesmo homem tivesse sido o último que encontrou Sir Charles vivo e o primeiro a seguir o novo herdeiro quando este voltou à Inglaterra. E daí? Seria ele o instrumento de outros ou tinha ele algum desígnio sinistro próprio? Que interesse podia ter ele em perseguir a família Baskerville? Pensei no estranho aviso cortado do editorial do Times. Seria isso obra sua ou era de alguém inclinado a contrariar os seus planos? O mistério está longe de ser desvendado

O próprio Holmes disse que nenhum caso mais complexo havia chegado até ele em toda a longa série de suas investigações sensacionais. Rezei, enquanto caminhava de volta pela estrada cinzenta e solitária, para que o meu amigo pudesse em breve estar livre de seus compromissos e vir tirar esta pesada carga de responsabilidade dos meus ombros.

De repente meus pensamentos foram interrompidos pelo ruído de pés correndo atrás de mim e por alguém que chamava o meu nome. Virei-me, esperando ver o Dr. Mortimer, mas para minha surpresa era um estranho que tentava me alcançar. Era um homem pequeno, magro, bem barbeado, com expressão afetada, louro e de queixo pequeno, entre trinta e quarenta anos de idade, vestido com um terno cinzento e usando um chapéu de palha. Uma caixa de lata para espécimes botânicos pendia do seu ombro e ele segurava uma rede verde para borboletas em uma das mãos.

– Estou certo que o senhor é o Dr. Watson, desculpe-me pela minha presunção – disse ao chegar ofegante perto de mim.

– Aqui na charneca somos pessoas simples e não esperamos pelas apresentações formais. O senhor provavelmente deve ter ouvido falar o meu nome do nosso amigo comum, Mortimer. Eu sou Stapleton, do Solar Merripit.

– A sua rede e caixa revelam quem é o senhor porque eu sabia que o Sr. Stapleton era naturalista. Mas como o senhor me conhece?

– Ao visitar Mortimer, ele o apontou para mim da janela do seu consultório quando o senhor passou. Como o nosso caminho fica na mesma direção resolvi segui-lo para me apresentar. Como está Sir Henry?

– Ele está muito bem, obrigado.

– Estávamos todos receosos de que após a triste morte de Sir Charles o novo baronete se recusasse a morar num lugar como este. A sua vinda para cá tem grande importância para a região. Suponho que Sir Henry não tenha medo supersticioso.

– Acredito que não.

– Naturalmente o senhor conhece a lenda do cão diabólico que persegue a família?

– Sim, ouvi falar disso.

– É incrível como os camponeses são crédulos aqui! Qualquer um deles jura ter visto tal criatura na charneca – disse com um leve sorriso.

Tive a impressão que o Sr. Stapleton considera muito sério este assunto.

– A história abalou a mente de Sir Charles. Sem dúvida, isso levou ao seu trágico fim – opinou.

– Mas como?

– Seus nervos estavam tão abalados que o aparecimento de qualquer cão podia ter tido um efeito fatal sobre o seu coração enfraquecido. Imagino que ele tenha visto realmente alguma coisa no gênero naquela última noite na Aleia dos Teixos. Eu gostava muito do velho, e sempre temia que ele morresse do coração.

– Como o senhor sabia que ele estava doente?

– Meu amigo Mortimer me contou.

– O senhor acha, então, que algum cão perseguiu Sir Charles e que, em consequência, ele morreu de medo?

– O senhor tem alguma explicação melhor?

– Não cheguei a nenhuma conclusão.

– E o Sr. Sherlock Holmes chegou?

A sua pergunta e suas colocações me desconcertaram por um instante, mas depois vi que ele é uma pessoa bem-intencionada.

– É inútil fingir que não o conhecemos, Dr. Watson – disse. E acrescentou:

– As histórias do seu detetive chegaram até nós aqui. Quando Mortimer me disse o seu nome, deduzi que, se o senhor está aqui, o próprio Sr. Sherlock Holmes está interessado na questão. Confesso que estou muito curioso para saber qual é o rumo da investigação do sr. Holmes.

– Lamento não poder responder à sua pergunta.

– Certo, mas ele vai nos honrar ele próprio com uma visita?

– Ele não pode sair da cidade no momento, pois tem outros casos a investigar.

– Que pena! Precisamos de alguma luz nesse caso que é tão obscuro. Quanto às próprias pesquisas, talvez eu posso ajudá-lo a investigar suas suspeitas.

– Estou aqui simplesmente de visita ao meu amigo Sir Henry. Portanto, não preciso de nenhuma ajuda de qualquer espécie. Obrigado!

– Excelente! – disse Stapleton.

– O senhor está perfeitamente certo em ser prudente e discreto. Desculpe pela minha intromissão e prometo que não tocarei mais no assunto.

Chegamos a um ponto onde um caminho estreito coberto de relva desviava-se da estrada e saía serpenteando pela charneca. À direita havia uma colina íngreme salpicada de rochedos, que em épocas passadas, foi explorada para extração de granito. A face que estava voltada para nós formava uma rampa escura, com samambaias e espinheiros brotando dos seus nichos. De uma elevação distante flutuava para o alto um penacho de fumaça cinzenta.

– Uma caminhada moderada por este caminho da charneca nos leva à Casa de Merripit – disse.

– Talvez o senhor possa dispor de uma hora para que eu possa apresentá-lo à minha irmã.

A princípio, pensei que eu devia estar ao lado de Sir Henry. Mas depois me lembrei da pilha de papéis e contas que ele precisava organizar e que eu não podia ajudá-lo nisso. Lembrei também que Holmes havia recomendado a estudar os vizinhos da charneca. Dessa forma, aceitei o convite de Stapleton e, assim, seguimos juntos pelo caminho.

– É um lugar maravilhoso a charneca – disse ele olhando em volta para as descidas ondulantes, longas ondas verdes com cristas de granito irregular espumando em vagalhões fantásticos.

– A gente nunca se cansa da charneca. O senhor não pode imaginar os segredos maravilhosos que ela contém. Ela é tão grande, tão desolada e tão misteriosa!

– O senhor a conhece bem, então?

– Estou aqui há apenas dois anos. Os residentes me veem como um recém-chegado. Chegamos pouco depois de Sir Charles se estabelecer. Mas os meus gostos me levaram a explorar todas as partes da região em volta. Acho que deve haver poucos homens que a conhecem melhor do que eu.

– Ela é tão difícil assim de se conhecer?

– Muito difícil. O senhor compreende, por exemplo, esta grande planície para o norte, com as estranhas colinas irrompendo dela. O senhor observa alguma coisa notável nela?

– Seria um lugar raro para um galope.

– O senhor naturalmente poderia pensar assim e a ideia custou várias vidas antes. Está vendo aqueles pontos verdes brilhantes espalhados espessamente sobre ela?

– Sim, parecem mais férteis do que o resto.

Stapleton riu.

– Esse é o grande Pântano de Grimpen – disse. E continuou a explicar:

– Um passo em falso lá significa a morte para o homem ou animal. Ontem mesmo vi um dos pôneis da charneca caminhar para dentro dele. Ele não saiu mais. Vi sua cabeça por muito tempo esticando o pescoço para fora do lodaçal, mas este sorveu-o para baixo afinal. Mesmo nas estações secas é um perigo atravessá-lo. Após as chuvas deste outono, um lugar horrível. Apesar disso, posso encontrar meu caminho até o próprio centro dele e voltar vivo. Por Deus, lá está outro desses miseráveis pôneis!

Alguma coisa marrom se agitava entre os carriços verdes. Depois um pescoço comprido projetou-se para cima se contorcendo e lutando desesperadamente. Em seguida, um grito horrível ecoou pela charneca, me deixando gelado de horror. Os nervos do meu companheiro pareciam ser mais fortes do que os meus.

– Lá se foi! – disse.

– O pântano o tragou! Ao menos de dois em dois dias, isso acontece porque eles adquirem o hábito de ir lá em tempo seco e nunca aprendem a diferença até que o pântano os tenha em suas garras. É um lugar ruim, o grande Pântano de Grimpen.

– E o senhor diz que pode adentrá-lo?

– Sim, encontrei um ou dois caminhos que um homem muito ativo pode tomar.

– Mas por que o senhor se interessa entrar num lugar tão horrível?

– O senhor está vendo as colinas além? Elas são realmente ilhas cercadas por todos os lados pelo pântano intransponível, que se arrastou em volta delas no curso dos anos. É lá que estão as plantas raras e as borboletas.

– Algum dia tentarei a minha sorte.

Ele olhou para mim assustado.

– Pelo amor de Deus esqueça essa ideia – disse. E ressaltou:

– A sua morte recairia sobre a minha cabeça. Não haveria a menor possibilidade de o senhor voltar vivo. Somente conhecendo bem certos pontos de referência complexos é que sou capaz de entrar e sair ileso.

– Ora! – exclamei.

– O que é isso?

Um gemido longo e baixo, indescritivelmente triste, passou por cima da charneca. Contudo, era impossível saber de onde vinha. De um murmúrio surdo cresceu até um rugido profundo, e depois baixou novamente para um murmúrio melancólico e latejante. Stapleton olhou para mim com um ar curioso no rosto.

– Realmente um lugar estranho, a charneca! – disse.

– Mas o que é isso?

– Os camponeses dizem que é o cão dos Baskerville chamando sua presa. Eu já ouvi uma ou duas vezes antes, mas nunca tão alto assim.

Olhei em volta, com um calafrio de medo no coração, para a enorme planície ondulada mosqueada de manchas verdes de juncos. Nada se mexia sobre a vasta extensão exceto um par de corvos, que crocitavam alto de um pico rochoso atrás de nós.

– O senhor é um homem instruído. O senhor não acredita numa bobagem dessas – disse, censurando.

– Qual é a causa de um som tão estranho?

– Os charcos fazem ruídos estranhos algumas vezes. É a lama se acomodando, ou a água subindo, ou alguma coisa.

– Não, isso foi a voz de um ser vivo.

– Bem, talvez fosse. O senhor ouviu alguma vez uma galinhola real gritando?

– Não, nunca ouvi.

– É uma ave muito rara, praticamente extinta na Inglaterra. Mas todas as coisas são possíveis sobre a charneca. Sim, eu não ficaria surpreso saber que o que ouvimos foi o grito da última das galinholas reais.

– Essa foi a coisa mais fantástica e estranha que já ouvi em minha vida.

– Sim, pode-se dizer que este é um lugar bastante misterioso. Olhe para a encosta da colina lá longe. O que acha que é aquilo?

Toda a encosta íngreme estava coberta de anéis circulares cinzentos de pedra, uma vintena deles pelo menos.

– O que são? Currais de ovelhas?

– Não, são as casas dos nossos dignos ancestrais. O homem pré-histórico vivia densamente na charneca, e como ninguém em particular viveu lá desde então, encontramos todas as suas pequenas instalações exatamente como eles as deixaram. Estas são as cabanas sem os telhados. O senhor pode ver até a lareira e o leito deles se tiver a curiosidade de entrar.

– Mas isso é positivamente uma cidade. Quem habitou?

– O homem neolítico, sem data.

– O que eles faziam?

– Levavam seu gado para pastar nestas encostas, aprenderam a extrair o estanho quando a espada de bronze começou a substituir o machado de pedra. Olhe para o grande fosso na colina oposta. Aquela é a marca deles. Sim, o senhor encontrará alguns pontos muito singulares na charneca, Dr. Watson. Oh, desculpe-me um instante! Certamente é uma Cyclopides.

Uma pequena borboleta ou mariposa atravessou o nosso caminho batendo as asas. Num instante, Stapleton correu com uma energia e velocidade extraordinária em sua perseguição. A criatura voou direto para o grande pântano e o meu conhecido saltou de tufo em tufo atrás dela com a sua rede verde acenando no ar. Suas roupas cinzentas e os saltos em ziguezague faziam com que ele próprio parecesse uma mariposa gigantesca. Fiquei observando a sua perseguição, com uma mistura de admiração pela sua atividade fabulosa e medo de ele dar um passo em falso no pântano traiçoeiro, até ouvir um ruído de passos. Ao virar-me, deparei com uma mulher perto de mim no caminho. Ela tinha vindo da direção em que o penacho de fumaça indicava a posição da Casa de Merripit, mas a depressão da charneca a havia escondido até ela estar bem perto.

Pela descrição que tinha sobre sua beleza, só poderia ser a Senhorita Stapleton. Realmente a mulher que se aproximou de mim tem um tipo muito fora do comum. Não podia haver um contraste maior entre irmão e irmã, porque o Sr. Stapleton tem pele e cabelos claros e olhos cinzentos, enquanto ela é mais morena do que qualquer outra que eu tivesse visto na Inglaterra, magra, elegante e alta. Tem um rosto finamente esculpido, tão regular que poderia parecer impassível se não fosse a boca sensível e os lindos olhos escuros, ansiosos. Com o seu talhe perfeito e o vestido elegante ela era mesmo uma aparição estranha no desolado caminho da charneca. Seus olhos estavam voltados para seu irmão quando me virei. Depois ela apressou o passo em minha direção. Eu havia erguido meu chapéu e estava prestes a fazer algum comentário, quando suas próprias palavras dirigiram todos os meus pensamentos numa nova direção.

– Volte! – pediu.

– Volte direto para Londres imediatamente.

Surpreso com sua atitude, pude apenas ficar olhando para ela. Os seus olhos brilhavam sobre mim e ela bateu no chão impaciente com o pé.

– Por que devo voltar? – perguntei.

– Não posso explicar.

– Ela falou numa voz baixa, ansiosa, com um balbuciar curioso em sua dicção.

– Mas, pelo amor de Deus, faça o que lhe pedi. Volte e nunca mais ponha os pés na charneca outra vez.

– Mas mal cheguei.

– Homem, homem! – exclamou.

– O senhor não pode perceber quando um aviso é para o seu próprio bem? Volte para Londres! Parta esta noite! Saia deste lugar a qualquer custo! Silêncio, meu irmão está chegando! Nem uma palavra do que eu disse. O senhor se incomoda de apanhar aquela orquídea para mim entre aqueles rabos-de-cavalo lá longe? Somos muito ricos em orquídeas na charneca, embora, naturalmente, o senhor esteja bastante atrasado para ver as belezas do lugar.

Stapleton havia desistido da perseguição e voltava até nós ofegante e corado pelo esforço.

– Olá, Beryl! – a saudou com um tom pouco cordial.

– Jack, você está muito acalorado.

– Sim, estive perseguindo uma Cyclopides. Ela é muito rara e dificilmente aparece no fim do outono. Uma pena que a perdi!

– Já percebi que vocês se apresentaram por conta própria.

– Sim. Eu estava dizendo a Sir Henry que era tarde demais para ele ver as verdadeiras belezas da charneca.

– Ora, quem você pensa que ele seja?

– Imagino que deva ser Sir Henry Baskerville.

– Não! Sou apenas um humilde plebeu, mas amigo dele. Meu nome é Dr. Watson.

Uma onda de aflição passou pelo seu rosto expressivo.

– Estivemos falando sem nos entender – explicou.

– Claro, vocês não tiveram muito tempo para falar – comentou o irmão dela com os mesmos olhos interrogadores.

– Eu falei como se o Dr. Watson fosse um residente em vez de simplesmente um visitante – disse.

– Não pode importar muito para ele se é cedo ou tarde para as orquídeas. Mas o senhor virá, não é, ver a casa de Merripit?

Uma curta caminhada nos levou até ela, uma casa desolada da charneca. Antes, tinha sido uma fazenda de algum criador nos velhos dias prósperos. Agora, estava reformada e transformada numa moradia moderna. Um pomar cercava-a, mas as árvores, como é comum na charneca, eram fracas e murchas, e o aspecto de todo o lugar era miserável e melancólico.

Fomos recebidos por um estranho empregado, velho mirrado, com um casaco ferruginoso que parecia em harmonia com a casa. Dentro, contudo, havia salas grandes, mobiliadas com uma elegância tal como a dama. Quando olhei de suas janelas para a charneca interminável, salpicada de granito ondulando sem interrupção até o horizonte mais distante, pensei o que poderia ter motivado esse homem altamente instruído e essa mulher linda para morarem num lugar desses.

– Parece um lugar estranho para morar? – disse ele como em resposta ao meu pensamento.

– Mas nos sentimos razoavelmente felizes, não é, Beryl?

– Bem felizes – disse ela, mas não havia nenhum timbre de convicção nas palavras dela.

– Eu tive um colégio – disse Stapleton.

– Era no norte do país. O trabalho para um homem do meu temperamento era mecânico e pouco interessante. Todavia, para mim era gratificante ter o privilégio de viver com os jovens, de ajudar a moldar aquelas mentes novas e de imprimir nelas o próprio caráter e ideais da gente. Contudo, a sorte estava contra nós. Uma epidemia séria irrompeu no colégio e três dos meninos morreram. Nunca me recuperei do golpe, e grande parte do meu capital foi irrevogavelmente engolida. E apesar disso, se não fosse a perda da companhia encantadora dos meninos, eu poderia me rejubilar com a minha própria infelicidade porque, com os meus fortes gostos pela botânica e a zoologia, encontro um campo ilimitado de trabalho aqui, e minha irmã é tão dedicada à Natureza quanto eu. Tudo isso, Dr. Watson, caiu sobre a sua cabeça devido à sua expressão quando examinou a charneca da nossa janela.

Certamente passou pela minha mente que isso podia ser um pouco monótono, menos para o senhor, talvez, do que para a sua irmã.

– Não, nunca acho monótono – disse ela rapidamente.

– Temos livros, temos os nossos estudos e temos vizinhos interessantes. O Dr. Mortimer é um homem muito instruído em sua própria especialidade. O pobre Sir Charles era também um companheiro admirável. Nós o conhecíamos bem e sentimos muitíssimo a sua falta. Gostaria de ir esta tarde visitar Sir Henry para conhecê-lo.

– Estou certo de que ele ficará encantado.

– Convém, então, que o senhor fale a Sir Henry da minha intenção. Talvez possamos, da nossa maneira humilde, fazer alguma coisa para facilitar a sua adaptação ao seu novo ambiente. O senhor quer subir, Dr. Watson, e examinar a minha coleção de lepidópteros? Acho que ela é a mais completa do sudoeste da Inglaterra. Enquanto isso, apronto o almoço.

Mas eu estava ansioso para voltar para o meu posto. A melancolia da charneca, a morte do infeliz pônei, o estranho som que havia sido associado com a sombria lenda dos Baskerville, tudo isso me entristeceu. Depois por cima dessas impressões mais ou menos vagas viera o aviso definido e distinto da Senhorita Stapleton dado com seriedade tão intensa que eu não podia duvidar que algum motivo grave e profundo estivesse por trás dele. Resisti a todas as pressões para ficar para o almoço, e segui imediatamente a minha viagem de volta, pegando o caminho coberto de relva pelo qual havíamos vindo.

Parece, contudo, que devia haver algum atalho para aqueles que o conheciam, porque antes de eu ter chegado à estrada fiquei espantado ao ver a Senhorita Stapleton sentada numa pedra ao lado do caminho. Seu rosto estava lindamente corado pelo esforço, e ela apertava a mão contra o lado.

– Corri o tempo todo a fim de alcançá-lo, Dr. Watson disse ela.

– Não tive tempo sequer de pôr o meu chapéu. Não posso parar ou o meu irmão pode dar por minha falta. Eu queria dizer ao senhor como lamento o estúpido engano que cometi pensando que o senhor fosse Sir Henry. Por favor esqueça as palavras que eu disse, que não se aplicam absolutamente ao senhor.

– Mas não posso esquecê-las, Senhorita Stapleton – admiti.

– Sou amigo de Sir Henry, e me preocupo muito com o seu bem-estar. Diga-me por que a Senhorita estava tão ansiosa para que Sir Henry voltasse para Londres?

– Um capricho de mulher, Dr. Watson. Quando o senhor me conhecer melhor, compreenderá que nem sempre posso justificar as coisas que digo ou faço.

– Impossível esquecer a excitação em sua voz e o seu olhar aflito. Por favor, seja franca comigo, Senhorita Stapleton, porque estou consciente das sombras à minha volta. A vida se transformou como o grande Pântano de Grimpen, com pequenos trechos verdes em toda parte nos quais a gente pode se afundar e sem nenhum guia para indicar o caminho de volta. Diga-me o que foi que a Senhorita quis dizer, e prometo-lhe transmitir o seu aviso a Sir Henry.

Ela hesitou por um instante, mas logo sua voz e seu olhar se endureceram outra vez quando me respondeu.

– O senhor dá muita importância a isso, Dr. Watson – disse.

– Meu irmão e eu ficamos muito chocados com a morte de Sir Charles. Nós o conhecíamos intimamente. O seu passeio favorito era pela charneca até a nossa casa. Ele ficou profundamente impressionado pela maldição que pairava sobre a sua família. E quando essa tragédia aconteceu, senti que devia haver algum fundamento a respeito de seus receios. Fiquei aflita ao saber que outro membro da família veio morar aqui, por isso achei que ele deveria ser prevenido do perigo que corre. Isso era tudo que eu queria transmitir.

– Mas qual é o perigo?

– O senhor conhece a história do cão?

– Eu não acredito nessas bobagens.

– Mas eu acredito. Se o senhor tiver qualquer influência sobre Sir Henry, afaste-o de um lugar que tem sido fatal para a sua família. O mundo é grande. Por que morar num lugar perigoso?

– A menos que a Senhorita possa dar uma informação mais definida, dificilmente Sir Henry desistirá de morar no solar.

– Eu não posso dizer nada definido, porque não há nada definido.

– Só mais uma pergunta: se a senhorita não quis dizer nada além do que já disse quando nos vimos pela primeira vez, por que a Senhorita teve medo que o seu irmão ouvisse o que disse?

– Meu irmão está muito ansioso para que o solar seja habitado, porque ele acha que isso é para o bem das pessoas pobres da charneca. Ele ficaria com muita raiva se soubesse que eu disse alguma coisa que pudesse induzir Sir Henry a ir embora. Cumpri meu dever e agora basta. Preciso voltar ou ele dará pela minha falta, desconfiará que falei com o senhor. Adeus!

– Ela virou-se e logo desapareceu por entre os rochedos, enquanto eu, com minha alma cheia de dúvidas.

E segui meu caminho para o Solar Baskerville.

VIII

Primeiro relatório do Dr. Watson

Deste ponto em diante seguirei o curso dos acontecimentos, transcrevendo minhas próprias cartas para Sherlock Holmes que estão diante de mim sobre a mesa.

Falta uma página, mas as demais estão exatamente como foram escritas e revelam os meus sentimentos e desconfianças.

Solar Baskerville, 13 de outubro.

Meu caro Holmes,

Minhas cartas e telegramas anteriores o mantiveram bem informado quanto a tudo o que tem ocorrido neste canto do mundo esquecido por Deus. Quanto mais tempo se fica aqui mais o espírito da charneca impregna a alma da gente com a sua vastidão e também o seu encanto sombrio. Uma vez que se esteja sobre o seu seio, deixa-se todos os vestígios da Inglaterra moderna para trás, mas por outro lado toma-se consciência em toda parte das casas e do trabalho do povo pré-histórico. Por todos os lados, enquanto se anda, estão as casas destas pessoas esquecidas, com seus túmulos e enormes monumentos que se supõe terem marcado seus templos. Quando se olha para suas cabanas de pedra cinzenta contra as encostas fragosas das colinas, deixa-se a própria era para trás, e se virmos um homem peludo, vestido de peles, engatinhar para fora da sua porta baixa, pondo uma flecha com ponta de sílex na corda do seu arco, acharemos que sua presença ali é mais natural do que a nossa própria. O estranho é que eles tenham vivido tão concentrados no que deve ter sido sempre um solo muito estéril. Não sou nenhum arqueólogo, mas posso imaginar que eles constituíam uma raça esbulhada e avessa às guerras que foi forçada a aceitar aquilo que nenhuma outra ocuparia.

Tudo isso, contudo, nada tem a ver com a missão para a qual você me mandou e provavelmente será muito pouco interessante para a sua mente severamente prática. Ainda posso me lembrar da sua completa indiferença quanto a se o Sol girava em torno da Terra ou a Terra em torno do Sol. Permita-me, portanto, voltar aos fatos relativos a Sir Henry Baskerville.

Se você não recebeu nenhum relatório nos últimos dias é porque até hoje não havia nada de importante a comunicar. Depois ocorreu uma circunstância muito surpreendente, que contarei a você no devido tempo. Mas, primeiro que tudo, preciso mantê-lo em contato com alguns dos outros fatores da situação.

Um destes, em relação ao qual pouco falei, é o condenado fugido na charneca. Há agora um motivo forte para crer que ele foi embora, o que é um alívio considerável para os chefes de família desta região. Passou-se uma quinzena desde a sua fuga, durante a qual ele não foi visto e nada se ouviu falar sobre ele. Certamente é inconcebível que ele possa ter ficado na charneca durante todo esse tempo. Naturalmente, no que diz respeito ao seu esconderijo não há absolutamente nenhuma dificuldade. Qualquer uma dessas cabanas de pedra lhe proporcionaria um lugar conveniente. Mas não há nada para comer a menos que ele pegasse e matasse uma das ovelhas da charneca. Achamos, portanto, que ele foi embora, e, em consequência, os fazendeiros isolados dormem melhor.

Somos quatro homens capazes nesta casa, de forma que podemos cuidar bem de nós mesmos, mas confesso que tenho tido momentos de inquietação quando penso nos Stapleton. Eles moram a quilômetros de qualquer ajuda. Há uma criada e um empregado velho, a irmã e o irmão, o último um homem muito forte. Eles ficariam impotentes nas mãos de um sujeito desesperado como esse criminoso de Notting Hill, se este conseguisse porventura entrar. Tanto Sir Henry como eu estamos preocupados com a situação deles, e sugeriu-se que Perkins, o criado, fosse dormir lá, mas Stapleton não quer ouvir falar disso.

O fato é que, como era de se esperar neste lugar solitário, o nosso amigo, o baronete, começa a se interessar pela nossa vizinha. Uma mulher bonita e muito fascinante. Há algo tropical e exótico em relação a ela, que contrasta com o seu irmão, frio e pouco emotivo. Embora, ele também demonstre ter paixão escondida. Percebi que o Sr. Stapleton exerce certa influência sobre sua irmã, pois a vi olhando continuamente para ele enquanto falava comigo. Parecia que estava procurando a

E, na manhã seguinte, nos levou ao ponto onde se supõe tenha originado a lenda do cruel Hugo (Ilustração de Sidney Paget).

sua aprovação para o que dizia. Espero que ele não a maltrate. Há um brilho seco nos seus olhos e uma expressão firme nos seus lábios finos, que demonstram uma natureza positiva e, possivelmente, cruel.

Ele veio visitar Baskerville naquele primeiro dia e, na manhã seguinte, nos levou ao ponto onde se supõe tenha originado a lenda do cruel Hugo. Foi uma viagem de alguns quilômetros pela charneca até um lugar tão desolado que poderia ter sugerido a história. Encontramos um curto vale entre picos rochosos ásperos que leva a um espaço aberto, coberto de relva. No meio dele erguem-se duas grandes pedras, gastas e aguçadas na extremidade superior, que parecem as presas enormes, corroídas, de algum animal monstruoso, que remete à cena da antiga tragédia. Sir Henry perguntou a Stapleton mais de uma vez se ele acreditava na interferência do sobrenatural nos assuntos dos homens. Ele foi cauteloso em suas respostas, dizia menos do que podia. Provavelmente, evitou expressar sua opinião em consideração aos sentimentos do baronete. No entanto, nos contou casos semelhantes em que famílias haviam sofrido alguma influência maligna, deixando assim a impressão de que partilhava da opinião popular sobre a questão.

Em nosso caminho de volta, paramos para almoçar no Solar Merripit, onde Sir Henry conheceu a Senhorita Stapleton. Desde esse primeiro momento, ele pareceu ter ficado fortemente atraído por ela. Acredito até que esse sentimento foi mútuo. Ele referiu-se a ela várias vezes ao voltarmos para casa. Desde então dificilmente tem passado um dia em que não tenhamos comentado dos irmãos. Eles jantaram aqui esta noite e já combinaram outro encontro na próxima semana. Sem dúvida, essa união seria muito bem-vinda para Stapleton, Mas de novo o surpreendi lançando um ar de forte desaprovação quando Sir Henry estava prestando alguma atenção à sua irmã. Seria muito egoísmo, se ele tentasse impedir o casamento dos dois. Ao que parece, é isso que está acontecendo. Certamente, ele não deseja que a intimidade deles se transforme em amor. A propósito, amigo Holmes, suas instruções para que eu nunca deixe Sir Henry sair sozinho ficarão difíceis de serem cumpridas. Minha popularidade logo sofreria se eu fosse cumprir suas ordens ao pé da letra.

No outro dia, quinta-feira para ser mais exato, o Dr. Mortimer almoçou conosco. Ele tem estado escavando um túmulo em Long Down e conseguiu um crânio pré-histórico que o enche de grande alegria. Nunca houve um entusiasta tão sincero como ele! Os Stapleton chegaram depois, e o bom médico levou-nos todos para a Aleia dos Teixos, a pedido de Sir Henry, para nos mostrar exatamente como tudo aconteceu naquela noite fatal. É um passeio longo, melancólico, à Aleia dos Teixos, entre duas paredes altas de sebes aparadas, com uma faixa estreita de grama de cada lado. Na extremidade oposta há um pavilhão em ruínas. Na metade do caminho fica o portão da charneca, onde o velho cavalheiro deixou a cinza do seu charuto. É um portão branco com um trinco. Além dele fica a ampla charneca. Lembrei-me da sua teoria do caso e tentei imaginar tudo que havia ocorrido. Quando o velho parou lá viu alguma coisa vindo pela charneca, alguma coisa que o aterrorizou tanto que ele perdeu o juízo e correu até não poder mais, até morrer de puro horror e exaustão. Lá estava o longo túnel sombrio pelo qual ele fugiu. E de quê? De um cão pastor de ovelhas da charneca? Ou de um cão espectral, preto, silencioso e monstruoso? Houve uma influência humana na questão? Será que o pálido e vigilante Barrymore sabe mais do que quis contar? Tudo era obscuro e vago, mas sempre há a sombra escura do crime por trás disso.

Conheci um outro vizinho desde que escrevi da última vez. É o Sr. Frankland, do Solar Lafter, que mora, a uns seis quilômetros ao sul. É um homem idoso, de rosto vermelho, cabelos brancos e colérico. Sua paixão é pela lei inglesa, e gastou uma grande fortuna em ações judiciais. Luta pelo simples prazer de lutar e está, igualmente, pronto a tomar qualquer dos lados de uma questão, de forma que não admira que tenha achado isso um divertimento caro. Algumas vezes ele fecha uma área de passagem e desafia a paróquia a fazê-lo abrir. Outras, arranca com suas próprias mãos o portão de algum outro homem e declara que existiu ali um caminho desde tempos imemoriais, desafiando o proprietário a processá-lo por invasão.

Ele conhece bem os direitos senhoriais e comunais, e aplica o seu conhecimento algumas vezes a favor dos aldeãos de Femworthy e outras contra eles, de forma que é periodicamente carregado em triunfo ou execrado, segundo sua última sentença. Diz-se que ele tem cerca de sete processos em curso atualmente, o que provavelmente engolirá o resto da sua fortuna, arrancando assim o seu ferrão e deixando-o inofensivo futuramente. Fora a lei, parece uma pessoa bondosa, afável, e só o menciono porque você foi enfático ao dizer que eu devia sempre mandar alguma descrição das pessoas que nos cercam. Ele se ocupa curiosamente agora porque, sendo astrônomo amador, tem um excelente telescópio com o qual se deita sobre o telhado da sua própria casa e vasculha a charneca o dia inteiro na esperança de vislumbrar o fugitivo. Se limitasse suas energias a isso, tudo estaria bem, mas há rumores de que pretende processar o Dr. Mortimer por ter aberto uma sepultura sem a autorização do parente mais próximo, porque desenterrou o crânio neolítico do túmulo em Long Down. Ele ajuda a impedir que nossas vidas se tomem monótonas e dá um pequeno alívio cômico nesse cenário misterioso.

E agora que o atualizei quanto ao condenado fugitivo, aos Stapletons, Dr. Mortimer e Frankland do Solar Lafter, vou contar-lhe mais sobre os Barrymore, e, especialmente, a respeito do acontecimento surpreendente de ontem à noite.

Primeiramente começo a contar sobre o telegrama experimental que você mandou de Londres a fim de se certificar se Barrymore estava realmente aqui. Eu já expliquei que o testemunho do agente do correio mostra que a experiência foi inútil e que não temos nenhuma prova num sentido ou no outro. Eu disse a Sir Henry como andavam as coisas, e ele, com o seu jeito otimista, imediatamente chamou Barrymore e perguntou se ele havia recebido o telegrama pessoalmente. Barrymore afirmou que sim.

– O jovem o entregou em suas próprias mãos? – perguntou Sir Henry.

Barryrmore pareceu surpreso com a pergunta.

– Não! – respondeu.

– Eu estava no quarto de guardados na ocasião, e minha mulher o levou para mim lá em cima.

– Você mesmo respondeu ao telegrama?

– Não. Eu disse à minha mulher o que responder e ela desceu para escrever.

À noite ele voltou ao assunto por iniciativa própria.

– Estou preocupado porque não compreendi o objetivo das suas perguntas esta manhã, Sir Henry – disse.

– Espero que eu não tenha feito algo errado para perder a sua confiança.

Sir Henry procurou acalmá-lo, dando a ele uma parte considerável do seu velho guarda-roupa em agradecimento por ter recebido toda a bagagem de Londres.

A Sra. Barrymore me desperta a atenção. Ela é uma pessoa corpulenta e forte, muito limitada, intensamente respeitável e um tanto puritana. Aparentemente, muito fechada e pouco emotiva. Como havia dito a você, na primeira noite aqui, a ouvi soluçando amargamente. Desde então, já a vi outras vezes com os olhos inchados por ter chorado. Alguma coisa profunda angustia o seu coração. Imagino se ela tem algum sentimento de culpa ou se o seu marido é um tirano doméstico. Sempre suspeitei do caráter deste homem. Na última noite, aumentaram as minhas desconfianças.

Pode ser até uma questão secundária. Normalmente, você sabe, meu sono não é profundo, e desde que estou de guarda nesta casa meus cochilos têm sido mais leves do que nunca. Na noite passada, por volta das duas da manhã, despertei ao ouvir passos furtivos passando pelo meu quarto. Levantei-me, abri a porta e olhei para fora. Uma sombra negra, comprida, se arrastava pelo corredor. Ela era lançada por um homem que caminhava de mansinho pela passagem com uma vela na mão. Ele estava de calça e camisa, e pés descalços. Vi apenas a silhueta, da altura do senhor Barrymore. Ele caminhava muito devagar e com prudência. Havia alguma coisa indescritivelmente culposa e furtiva em toda a sua aparência.

Eu disse a você que o corredor é interrompido pelo balcão que contorna o vestíbulo, mas que continua do lado oposto. Esperei até que ele desaparecesse e depois o segui. Quando cheguei ao balcão, ele havia atingido a extremidade do outro corredor e entrado num dos quartos. Detalhe: todos estes quartos estão sem mobília e desocupados. Assim sendo, a investida dele intensificou o mistério. A entrada da luz brilhante permitiu que o visse pelo canto da porta.

Barrymore estava agachado junto à janela com a vela erguida contra o vidro. Seu perfil estava meio virado para mim e sua fisionomia parecia rígida de expectativa, enquanto olhava para a escuridão da charneca. Por alguns minutos ele ficou parado, observando atentamente. Depois soltou um gemido profundo e, com um gesto assustado, apagou a luz. Rapidamente voltei para o meu quarto. Em seguida, ouvi os passos furtivos passando mais uma vez em sua viagem de volta. Mais tarde, após um sono leve, ouvi uma chave girar numa fechadura, mas não distingui de onde vinha o som. O que tudo isso significa não posso imaginar. Com certeza há algum negócio secreto acontecendo nesta casa de sombras, mas, cedo ou mais tarde, desvendaremos o mistério.

Como combinado, não o incomodo com as minhas teorias, porque você me pediu para passar apenas os fatos. Adianto a você que esta manhã tive uma longa conversa com Sir Henry e fizemos um plano de campanha com base nas minhas observações de ontem à noite. Creio que esse levantamento de acontecimentos tornará o meu próximo relatório uma leitura muito interessante. Aguarde!

IX

A luz na charneca: segundo relatório do Dr. Watson

Solar Baskerville, 15 de outubro
Meu caro Holmes,

Fui obrigado a deixá-lo sem muitas notícias durante os primeiros dias da minha missão. Você deve reconhecer que estou recuperando o tempo perdido, e que os acontecimentos estão agora transcorrendo depressa. Terminei meu último relatório com Barrymore na janela. Devia estar procurando alguma coisa ou alguém na charneca. A noite estava muito escura, por isso mal posso imaginar como ele podia ter esperado ver alguém. Cheguei a pensar que era possível estar ocorrendo alguma intriga amorosa. Isso teria explicado os seus movimentos furtivos e também a inquietação da sua mulher. O homem é um sujeito bonito, muito bem equipado para roubar o coração de uma moça do campo. Por isso considerei viável essa teoria. Aquela porta se abrindo que eu havia ouvido após ter voltado para o meu quarto podia significar que ele havia saído para ter algum encontro clandestino. Portanto, discuti comigo mesmo de manhã, e lhe conto o percurso das minhas suspeitas, por mais que o resultado possa ter mostrado que elas eram infundadas.

Qualquer que pudesse ser a verdadeira explicação dos movimentos de Barrymore, achei que a responsabilidade de guardá-la para mim até poder explicá-la era mais do que eu podia suportar. Tive uma entrevista com o baronete no seu escritório após o café, e contei-lhe tudo o que havia visto. Ele ficou menos surpreso do que eu havia esperado.

– Eu sabia que Barrymore andava por aí de noite, e tive vontade de falar com ele a respeito – disse ele. – Ouvi seus passos duas ou três vezes na passagem, indo e vindo, mais ou menos na hora que você falou.

– Talvez então cada noite ele faça uma visita àquela janela particular – sugeri.

– Talvez faça. Se assim for, poderemos segui-lo e ver o que procura. Fico imaginando o que o seu amigo Holmes faria, se estivesse aqui.

– Imagino que ele faria exatamente o que o senhor sugere agora – disse eu. – Ele seguiria Barrymore e veria o que ele faz.

– Então vamos fazer isso juntos. Mas ele certamente nos ouvirá.

– Ele é bastante surdo, e de qualquer maneira devemos arriscar. Vamos ficar sentados em meu quarto esta noite e esperar até ele passar.

Sir Henry esfregou as mãos com prazer, e era evidente que ele saudava a aventura como um alívio para a sua vida um tanto monótona na charneca.

– O baronete havia se comunicado com o arquiteto que preparara os planos para Sir Charles, e com um empreiteiro de Londres, de forma que podemos esperar grandes mudanças a começarem aqui em breve. Têm havido decoradores e vendedores de móveis de Plymouth, e é evidente que o nosso amigo tem grandes ideias e meios para não poupar nenhum sacrifício ou despesa para restaurar a grandeza da sua família. Quando a casa estiver reformada e mobiliada de novo, tudo que ele precisará será uma esposa para torná-la completa. Há sinais bem claros de que isso não vai demorar, se a dama estiver disposta, porque raramente vi um homem mais caído por uma mulher do que ele pela nossa linda vizinha, a Senhorita Stapleton. E contudo o curso do verdadeiro amor positivamente não corre tão suavemente como se poderia esperar nas circunstâncias. Hoje, por exemplo, sua superfície foi perturbada por uma agitação muito inesperada que causou ao nosso amigo considerável perplexidade e aborrecimento.

– Após a conversa que mencionei sobre Barrymore, Sir Henry pôs o chapéu e preparou-se para sair. Naturalmente fiz o mesmo.

– O quê? Você vem, Watson? – perguntou ele olhando para mim de uma forma curiosa.

– Você vai para a charneca ?

– Sim, vou.

– Bem, você sabe quais são as minhas instruções. Lamento me intrometer, mas você ouviu como Holmes insistiu seriamente para eu não deixá-lo, e especialmente para você não ir sozinho para a charneca.

Sir Henry pôs a mão sobre o meu ombro com um sorriso amável.

– Meu caro amigo – disse ele – Holmes, com toda a sua sabedoria, não previu algumas coisas que têm acontecido desde que estou na charneca. Você me compreende? Estou certo de que você é o último homem do mundo que desejaria ser um desmancha-prazeres. Preciso sair sozinho.

Isso me colocou numa posição muito esquisita. Eu não sabia o que dizer ou fazer, e antes que eu decidisse, ele pegou sua bengala e foi embora.

Quando vim a pensar no assunto, minha consciência me reprovou amargamente por ter sob qualquer pretexto permitido que eu o perdesse de vista. Imaginei quais seriam os meus sentimentos se tivesse que voltar e confessar a você que havia ocorrido uma infelicidade devido ao meu pouco caso por suas instruções. Minhas faces coraram à simples ideia. Mesmo agora podia não ser tarde demais para alcançá-lo, portanto parti imediatamente na direção do Solar Merripit.

Corri pela estrada na minha velocidade máxima sem ver sinal de Sir Henry até chegar ao ponto onde o caminho da charneca se bifurca. Lá, receando talvez ter vindo na direção errada, subi numa colina, de onde pudesse dominar o terreno, a mesma colina cortada pela pedreira escura. De lá o vi imediatamente. Ele estava no caminho da charneca, a uns quatrocentos metros de distância, e ao seu lado havia urna dama que só podia ser a Senhorita Stapleton. Era evidente que já havia um entendimento entre eles e que o encontro fora marcado. Eles andavam lentamente, numa conversa profunda, e eu a vi fazendo pequenos movimentos rápidos com as mãos como se estivesse sendo muito séria no que estava dizendo, enquanto ele ouvia atentamente e uma ou duas vezes sacudiu a cabeça discordando fortemente. Eu estava parado entre as rochas observando-os, muito confuso quanto ao que devia fazer em seguida. Segui-los e interromper a conversa íntima deles pareceu-me um ultraje. Apesar disso, o meu dever era claramente nunca perdê-lo de vista um instante sequer. Agir como espião contra um amigo era uma tarefa odiosa. No entanto, não pude ver nenhum recurso melhor do que observá-lo da colina e limpar minha consciência confessando a ele depois o que havia feito. É verdade que se qualquer perigo súbito o tivesse ameaçado, eu estava longe demais para ajudá-lo. Estou certo de que você concordará comigo que a posição era muito difícil, e que não havia mais nada que eu pudesse fazer.

O nosso amigo, Sir Henry, e a dama pararam no caminho e ficaram profundamente absorvidos em sua conversa. Percebi de repente que não era a única testemunha da entrevista deles. Algo verde flutuando no ar atraiu minha atenção. Vi que era carregado numa vara por um homem que estava se movendo no meio do terreno irregular. Era Stapleton com a sua rede de borboletas. Ele estava muito mais perto do par do que eu, e pareceu estar indo na direção deles. Neste instante Sir Henry puxou a Senhorita Stapleton para o seu lado. Seu braço envolveu-a, mas pareceu-me que ela estava fazendo força para se afastar dele com o rosto virado. Ele abaixou a cabeça para a dela, e ela ergueu a mão como se estivesse protestando. No momento seguinte, os vi se separarem de repente e se virarem apressados. Stapleton era a causa da interrupção. Ele estava correndo como um louco para eles, com a sua rede absurda pendurada atrás. Gesticulava e quase dançou de excitação diante do casal. O que a cena significava, não pude imaginar, mas pareceu-me que Stapleton estava descompondo Sir Henry, que ofereceu explicações que se tornaram mais irritadas quando o outro se recusou a aceitá-las. A dama estava parada ao lado em silêncio orgulhoso. Finalmente Stapleton girou nos calcanhares e fez um sinal chamando a sua irmã de maneira peremptória que, após um olhar hesitante para Sir Henry, afastou-se ao lado do seu irmão. Os gestos irritados do naturalista mostraram que a dama estava incluída em sua indignação. O baronete ficou parado por um minuto olhando para eles, e depois caminhou lentamente de volta pelo caminho pelo qual havia vindo, com a cabeça pendente, o próprio quadro do abatimento.

O que tudo isso significava eu não podia imaginar, mas estava profundamente envergonhado de ter testemunhado uma cena tão íntima sem o conhecimento do meu amigo. Desci a colina correndo, portanto, e encontrei-me com o baronete embaixo. Seu rosto estava rubro de cólera e a fronte enrugada, como alguém que está sem saber o que fazer.

– Olá, Watson! De onde você surgiu? Você veio atrás de mim apesar de tudo? – disse ele.

Expliquei tudo a ele: como eu tinha achado impossível ficar atrás, como eu o havia seguido, e como havia testemunhado tudo o que havia ocorrido. Por um instante seus olhos arderam em chamas para mim, e ele irrompeu afinal num riso positivamente triste.

– Podia-se pensar que o meio dessa pradaria fosse razoavelmente seguro para um homem ter privacidade – disse ele – mas, com os diabos, toda a região parece ter saído para me ver fazer a corte, uma corte lamentável! Onde você conseguiu um lugar?

– Eu estava naquela colina.

– Numa fila bem atrás, hein? Mas o irmão dela estava bem na frente. Você o viu cair sobre nós?

– Sim, vi.

– Já lhe ocorreu alguma vez o fato dele ser louco, esse irmão dela?

– Não posso dizer que tenha ocorrido.

– Ouso dizer que não. Sempre o considerei bastante são até hoje, mas pode acreditar em mim que ele ou eu devíamos estar numa camisa de força. O que é que há comigo, afinal de contas? Você viveu perto de mim por algumas semanas, Watson. Diga-me francamente, agora! Há alguma coisa que me impeça de ser um bom marido para uma mulher que eu ame?

– Eu diria que não.

– Ele não pode falar nada sobre a minha posição na vida, portanto deve ser de mim mesmo que ele tem birra. O que tem ele contra mim? Que eu saiba, nunca magoei nenhum homem ou mulher na vida. E apesar disso ele mal me deixaria tocar na ponta dos dedos dela.

– Ele fez isso?

– Isso e muito mais. Vou lhe contar, Watson. Eu só a conheço há estas poucas semanas, mas desde o começo senti que ela era feita para mim, e ela também fica feliz quando está comigo. Isso eu juro. Há uma luz nos olhos de uma mulher que fala mais alto do que as palavras. Mas ele nunca nos deixa ficar juntos, e foi só hoje que vi, pela primeira vez, uma possibilidade de trocar algumas palavras com ela sozinho. Ela estava satisfeita de se encontrar comigo. Não era de amor que falaria, e não me deixaria falar disso também se pudesse ter impedido. Ficou repetindo que era um lugar perigoso, e que nunca seria feliz até que eu saísse dali. Eu disse que desde que a vi não estava com nenhuma pressa e que se quisesse realmente que eu fosse, a única maneira de conseguir isso seria ela indo comigo. Com isso, propus, em outras tantas palavras, nos casarmos. Mas antes que ela pudesse responder, lá veio esse irmão dela, correndo para nós com cara de louco. Ele estava simplesmente branco de raiva, e aqueles olhos claros estavam incendiados de fúria. O que estava eu fazendo com a dama? Como eu me atrevia a oferecer a ela atenções que lhe eram desagradáveis? Pensava eu que por ser um baronete podia fazer o que quisesse? Se não fosse irmão dela, saberia melhor como responder a ele. Seja como for, eu disse que os meus sentimentos em relação à irmã dele eram tais que eu não estava envergonhado, e que esperava que ela pudesse me honrar tornando-se minha esposa. Isso não pareceu melhorar as coisas. Assim, perdi as estribeiras; também, e respondi-lhe mais rispidamente do que devia, considerando que ela estava ao lado. Portanto tudo terminou com ele indo embora com ela, como você viu, e aqui estou, um homem tão confuso como qualquer outro neste condado. Diga-me apenas o que tudo isso significa, Watson, e ficarei lhe devendo mais do que jamais posso esperar lhe pagar.

Tentei uma ou duas explicações, mas eu mesmo estava completamente confuso. O título do nosso amigo, sua idade, sua fortuna, seu caráter e sua aparência estão todos a seu favor, e não sei de nada contra ele, a menos que seja essa sorte tenebrosa que pesa sobre sua família. Que as investidas dele fossem rejeitadas tão bruscamente sem qualquer referência aos desejos da própria dama, e que ela aceitasse a situação sem protestos, é muito surpreendente. Contudo, nossas conjeturas foram postas de lado por uma visita do próprio Stapleton naquela mesma tarde. Ele foi pedir desculpas por sua grosseria da manhã, e após uma longa entrevista particular com Sir Henry em seu escritório, a conclusão da conversa deles foi que o rompimento de relações estava completamente sanado, e que devíamos jantar na casa de Merripit na próxima sexta-feira como prova disso.

– Não digo que ele não seja louco – disse Sir Henry. – Eu posso esquecer o seu olhar quando correu para mim esta manhã, mas devo admitir que nenhum homem podia pedir desculpas mais graciosamente do que ele.

– Ele deu alguma explicação para a sua conduta?

– Sua irmã é tudo em sua vida, diz ele. Isso é bastante natural, e alegro-me de ele compreender o valor dela. Eles sempre estiveram juntos e tem sido um homem muito solitário tendo apenas ela como companhia, de forma que a ideia de perdê-la foi realmente terrível para ele. Não havia percebido, disse ele, que eu estava me ligando a ela, mas quando viu com os seus próprios olhos que ela podia ser levada para longe dele, isso chocou-o de tal maneira que por algum tempo não foi responsável pelo que disse ou fez. Lamentava muito tudo o que se passara, e reconhecia como era tolice e egoísmo imaginar que podia conservar uma mulher bonita como a sua irmã para si mesmo por toda a vida. Se ela tivesse que deixá-lo, preferia que fosse para um vizinho como eu do que para qualquer outro. De qualquer maneira isso era um golpe para ele, e levaria algum tempo antes de se preparar para enfrentá-lo. Ele retiraria toda a oposição de sua parte se eu prometesse deixar as coisas como estavam por três meses e me contentasse cultivando a amizade da dama sem exigir o seu amor. Isso eu prometi, e assim está a questão.

Aí está esclarecido um dos nossos pequenos mistérios. É uma coisa que chegou ao fundo em algum lugar deste pântano no qual estamos nos debatendo. Sabemos agora por que Stapleton considerava com hostilidade o pretendente à mão da sua irmã, mesmo quando esse pretendente era tão aceitável como Sir Henry.

Agora passo para outro fio que tirei para fora da meada embaraçada: o mistério dos soluços durante a noite, do rosto manchado de lágrimas da Sra. Barrymore, da viagem secreta do mordomo até a janela de treliça a oeste. Felicite-me, meu caro Holmes, e diga-me que não o desapontei como agente, que você não se arrepende da confiança que demonstrou ter em mim quando me mandou cá para o sul. Todas essas coisas foram totalmente esclarecidas com o trabalho de uma noite.

Eu disse uma noite, mas foi pelo trabalho de duas noites, porque na primeira não conseguimos nada. Eu fiquei sentado com Sir Henry em seu quarto até quase três horas da manhã, mas não ouvimos nenhum ruído de qualquer espécie exceto o do carrilhão no andar de cima. Foi uma vigília muito melancólica, e terminou com cada um de nós dormindo em suas cadeiras. Felizmente não ficamos desencorajados, e resolvemos tentar outra vez. Na noite seguinte diminuímos a luz da lâmpada e ficamos sentados fumando cigarros, sem fazer o menor ruído. Foi incrível como as horas se arrastaram lentamente, e apesar disso fomos ajudados durante elas pelo mesmo tipo de interesse paciente que o caçador deve sentir ao vigiar a armadilha na qual espera que a caça possa cair. Uma badalada, duas, e quase havíamos desistido pela segunda vez, sem esperanças, quando num instante nós dois nos endireitamos como uma flecha em nossas cadeiras, com todos os nossos sentidos cansados vivamente alertados mais uma vez. Escutamos o rangido de um passo no corredor.

Ouvimos ele passar por nós muito furtivamente até desaparecer. Depois o baronete abriu sua porta devagar e partimos em perseguição. O nosso homem já havia contornado a galeria, e o corredor estava todo escuro. Seguimos em frente de mansinho até chegarmos na outra ala. Chegamos bem a tempo de vislumbrar um vulto alto, de barba preta, com os ombros curvos, enquanto este seguia pé ante pé pelo corredor. Depois ele passou pela mesma porta que antes, e a luz da vela emoldurou-a na escuridão e lançou um único raio amarelo através do corredor sombrio. Seguimos furtivamente em direção a ele, testando cada tábua do soalho antes de colocarmos o nosso peso sobre ela. Havíamos tomado a precaução de tirar nossas botas, mas, mesmo assim, as velhas tábuas gemeram e estalaram sob os nossos passos. Algumas vezes parecia impossível ele deixar de ouvir a nossa aproximação. Contudo, felizmente o homem é bastante surdo, e estava totalmente concentrado no que estava fazendo. Quando finalmente chegamos à porta e olhamos por ela vimos que ele estava agachado junto à janela, com a vela na mão, o rosto branco e atento comprimido contra a vidraça, exatamente como eu o havia visto duas noites antes.

Não tínhamos combinado nenhum plano, mas o baronete é um homem para quem a maneira mais direta é sempre a mais natural. Ele entrou no quarto, e ao fazer isso Barrymore saltou da janela com um silvo agudo da respiração e ficou em pé, lívido e tremendo, diante de nós. Seus olhos escuros, brilhando na máscara branca do seu rosto, estavam cheios de horror e espanto ao olharem fixamente de Sir Henry para mim.

– O que você está fazendo aqui, Barrymore?

– Nada, senhor. A janela, senhor. Eu revisto à noite para ver se todas as janelas estão bem fechadas.

Sua agitação era tão grande que ele mal podia falar, e as sombras saltavam para cima e para baixo com o tremor da sua vela.

– No segundo andar?

– Sim, senhor, todas as janelas.

– Olhe aqui, Barrymore – disse Sir Henry severamente. – Nós decidimos extrair a verdade de você, portanto evitará problemas se contar logo. Antes cedo do que tarde. Vamos, agora! Nada de mentiras! O que você estava fazendo nessa janela?

O sujeito olhou para nós, impotente, o torceu as mãos como alguém na última extremidade da dúvida e da aflição e disse:

– Eu não estava fazendo nada de errado, senhor. Estava segurando uma vela contra a janela.

– E por que você estava segurando uma vela contra a janela?

– Não me pergunte, Sir Henry, não me pergunte! Dou-lhe minha palavra, senhor, que o segredo não me pertence, e que não posso contá-lo. Se ele não dissesse respeito a ninguém senão a mim mesmo eu não tentaria escondê-lo do senhor.

Uma ideia súbita ocorreu-me, e tirei a vela da mão trêmula do mordomo.

– Ele deve ter estado segurando-a como um sinal – disse eu. – Vamos ver se há alguma resposta.

Ergui-a como ele tinha feito e fiquei olhando para a escuridão da noite lá fora. Pude perceber vagamente a massa negra das árvores e a extensão mais clara da charneca, porque a luz estava atrás das nuvens. E depois dei um grito de regozijo, porque uma cabeça minúscula de alfinete de luz amarela havia transfixado subitamente o véu escuro, e brilhava firmemente no centro do quadrado negro emoldurado pela janela.

– Lá está ela! – exclamei.

– Não, não, senhor, isso não é nada, absolutamente nada! – interrompeu o mordomo. – Garanto-lhe, senhor...

– Mexa a sua vela de um lado para o outro, Watson! – exclamou o baronete. – Viu, a outra também se move! Agora, seu patife, você nega que isso seja um sinal? Fale, vamos! Quem é o seu cúmplice lá fora, e que conspiração é essa que vem ocorrendo?

O rosto do homem tomou-se abertamente desafiador.

– Isso é assunto meu, e não seu. Não direi.

– Então você está despedido já.

– Muito bem, senhor. Se tenho que sair, sairei.

– E você sai desacreditado. Com os diabos, você devia ter vergonha de si mesmo. Sua família viveu com a minha por mais de quatrocentos anos sob este teto, e cá encontro você metido em alguma trama misteriosa contra mim.

– Não, não, senhor! Não, não contra o senhor!

Era uma voz de mulher, e a Sra. Barrymore, mais pálida e mais horrorizada do que o marido, estava parada na porta. Seu vulto volumoso num xale e saia seria cômico se não fosse a intensidade da emoção no seu rosto.

– Temos que ir, Eliza. Isto é o fim de tudo. Você pode arrumar nossas coisas – disse o mordomo.

– Oh, John, John, levei você a isto! A culpa é minha, Sir Henry, toda minha. Ele não fez nada exceto para mim, e porque eu pedi.

– Fale, então! O que significa isso?

– Meu infeliz irmão está morrendo de fome na charneca. Não podemos deixá-lo morrer em nossos próprios portões. A luz é um sinal para ele de que a comida está pronta, e a luz dele lá fora é para mostrar o local para onde levá-la.

– Então o seu irmão é...

– O condenado foragido, senhor, Selden, o criminoso.

– Essa é a verdade, senhor – disse Barrymore.

– Eu disse que o segredo não me pertencia e que não podia contá-lo ao senhor. Agora o senhor já sabe o que é, e verá que se há um complô, não é contra o senhor.

Esta era a explicação das expedições furtivas à noite e da luz na janela. Sir Henry e eu ficamos ambos olhando para a mulher espantados. Seria possível que essa pessoa respeitável fosse do mesmo sangue que um dos criminosos mais notórios do país?

– Sim, senhor, meu nome era Selden, e ele é meu irmão caçula. Nós atendemos demais a vontade dele quando ele era menino, e cedemos em tudo até ele vir a pensar que o mundo fora criado para o prazer dele, e que podia fazer o que quisesse. Depois, quando cresceu, se meteu com más companhias, e ficou com o diabo no corpo até partir o coração da minha mãe e arrastar o nosso nome na sarjeta. De crime em crime ele afundou cada vez mais, até que apenas a misericórdia de Deus livrou-o do cadafalso. Mas para mim, senhor, sempre foi o garotinho de cabelos anelados que criei e com quem brinquei, como uma irmã mais velha faria. Foi por isso que ele fugiu da prisão. Sabia que eu estava aqui e que não recusaria a ajudá-lo. Quando ele se arrastou para cá certa noite, cansado e esfomeado, com os guardas rentes nos seus calcanhares, o que podíamos fazer? Nós o recebemos, alimentamos e cuidamos dele. Depois o senhor voltou, e meu irmão achou que ele ficaria mais seguro na charneca do que em qualquer outra parte até passar o clamor público, e ficou escondido lá. Mas de duas em duas noites nós nos certificávamos de que ele ainda estava lá, pondo uma luz na janela. Quando há resposta, meu marido leva um pouco de pão e carne para ele. Cada dia esperávamos que ele tivesse ido embora, mas enquanto ele estiver lá, não podemos abandoná-lo. Essa é toda a verdade, já que sou uma mulher cristã, honesta, e o senhor verá que se há culpa na questão, é minha.

As palavras da mulher vieram com uma seriedade intensa e impregnadas de convicção.

– Isto é verdade, Banymore?

– Sim, Sir Henry. Cada palavra.

– Bem, não posso culpá-lo por apoiar sua própria mulher. Esqueça o que eu disse. Vão para o seu quarto, vocês dois, e falaremos mais sobre esse assunto pela manhã.

Quando eles haviam ido embora, olhamos outra vez para fora pela janela. Sir Henry a havia aberto, e o vento frio da noite bateu em nossos rostos. Ao longe, no escuro, ainda brilhava aquele ponto minúsculo de luz amarela.

– Fico imaginando como ele se atreve – disse Sir Henry.

– Ela deve estar colocada de tal maneira que só possa ser vista daqui.

– Com toda a probabilidade. A que distância você acha que está?

– Longe, junto ao pico da Rachadura, acho eu.

– A não mais de três quilômetros de distância.

– Mal chega a tanto.

– Bem, não pode ser longe se Barrymore tivesse que levar a comida até lá. E esse vilão deve estar esperando, ao lado daquela vela. Com os diabos, Watson, eu vou sair para pegar esse homem!

A mesma ideia havia me ocorrido. Não era como se os Barrymore tivessem confiado em nós. O segredo deles fora confessado à força. O homem era um perigo para a comunidade, um criminoso para quem não havia nem piedade nem desculpa. Estávamos apenas cumprindo o nosso dever em aproveitar essa oportunidade de pô-lo de volta onde não pudesse fazer mal. Com a sua natureza brutal e violenta, outros teriam que pagar o preço se lavássemos nossas mãos. Qualquer noite, por exemplo, nossos vizinhos os Stapleton corriam o risco de ser atacados por ele, e pode ter sido essa possibilidade que tomou Sir Henry tão entusiasmado pela aventura.

– Eu também vou – disse eu.

– Então pegue o seu revólver e calce suas botas. Quanto mais cedo partirmos, melhor, já que o sujeito pode apagar sua luz e ir embora.

Em cinco minutos estávamos do lado de fora, começando a nossa expedição. Esgueiramo-nos através dos arbustos escuros, cercados pelo gemido monótono do vento de outono e o farfalhar das folhas que caíam. O ar da noite estava pesado, com cheiro de umidade e podridão. De vez em quando a lua espreitava para fora das nuvens por um instante. Mas as nuvens estavam se movendo sobre o céu, e exatamente quando saímos na charneca, uma chuva fina começou a cair. A luz ainda brilhava firmemente adiante.

– Você está armado? – perguntei.

– Tenho um cabo de chicote de caça.

– Temos de nos aproximar dele rapidamente, porque dizem que é um sujeito ousado. Devemos pegá-lo de surpresa e tê-lo à nossa mercê antes que reaja.

– Watson, – disse o baronete – o que Holmes diria sobre isto? E quanto à hora da escuridão em que o poder do mal é exaltado?

Corno em resposta às suas palavras ergueu-se de repente da vasta sombra da charneca aquele estranho grito que eu já havia ouvido nas margens do grande pântano de Grimpen. Veio com o vento através do silêncio da noite, um murmúrio longo e profundo, depois um uivo crescente e em seguida o gemido triste com o qual morreu. Repetiu-se várias vezes, com todo o ar pulsando junto, estridente, selvagem e ameaçador. O baronete segurou-me pela manga e seu rosto reluzia, branco, através da escuridão.

– Meu Deus, o que é isso, Watson?

– Não sei. É o som que eles têm na charneca. Eu o ouvi uma vez antes.

Estava sobre as rochas, na fenda em que a vela queimava. Era um rosto amarelo, malvado (Ilustração de Sidney Paget).

O som cessou, e um silêncio absoluto fechou-se sobre nós. Ficamos parados ouvindo atentamente, mas nada veio.

– Watson – disse o baronete.

Meu sangue gelou nas veias, porque houve uma pausa em sua voz que revelou o horror súbito que havia se apoderado dele.

– Como eles chamam esse som? – perguntou ele.

– Quem?

– Os moradores da região?

– São pessoas ignorantes. Por que você deve se importar como eles o chamam?

– Diga-me, Watson. O que dizem dele?

Eu hesitei mas não pude fugir à pergunta.

– Dizem que é o grito do cão dos Baskerville.

Ele gemeu e ficou em silêncio por alguns instantes.

– Era um cão – disse ele por fim – mas parecia vir de quilômetros de distância, lá de longe, acho eu.

Era difícil dizer de onde vinha. Ele aumentava e diminuía com o vento.

– Não é essa a direção do grande pântano de Grimpen?

– Sim, é.

– Bem, foi de lá. Venha agora, Watson, você não acha que era o grito de um cão? Não sou criança. Não precisa ter medo de dizer a verdade.

– Staplon estava comigo quando o ouvi da última vez. Ele disse que podia ser o chamado de uma ave estranha.

– Não, não, era um cão. Meu Deus, será que há alguma verdade em todas essas histórias? Será possível que eu esteja realmente em perigo por uma causa tão obscura? Você não acredita nisso, acredita, Watson?

– Não, não.

– Uma coisa é rir disso em Londres, e outra ficar parado aqui fora na escuridão da charneca e ouvir um grito desses. E meu tio! Havia a pegada do cão ao seu lado onde ele estava caído. Tudo se encaixa. Não acho que eu seja um covarde, Watson, mas esse som pareceu congelar meu próprio sangue. Sinta a minha mão!

Estava tão fria como um bloco de mármore.

– Você estará bem amanhã.

– Acho que não tirarei esse grito da minha cabeça. O que você aconselha que façamos agora?

– Vamos voltar?

– Não, com os diabos; saímos para pegar o nosso homem e faremos isso. Nós atrás do condenado, e um cão do inferno, muito provavelmente, atrás de nós. Venha! Levaremos isso a cabo mesmo que todos os demônios do inferno estejam soltos na charneca.

Ele não havia visto este homem solitário sobre o pico rochoso (Ilustração de Sidney Paget).

Avançamos devagar pela escuridão, com o vulto negro das colinas escarpadas à nossa volta e o pontinho amarelo de luz aceso firmemente adiante. Não há nada tão ilusório como a distância de uma luz numa noite escura como breu, e algumas vezes o brilho parecia estar longe sobre o horizonte e outras a alguns passos de nós. Mas finalmente pudemos ver de onde ele vinha, e então ficamos sabendo que estávamos muito perto. Uma vela gotejante estava enfiada numa fenda das rochas que a flanqueavam de cada lado para manter o vento longe dela, e também para impedir que fosse vista, salvo na direção do solar Baskerville. Uma grande pedra de granito escondeu a nossa aproximação. Agachados atrás dela, olhamos por cima para o sinal luminoso. Era estranho ver essa vela isolada queimando aqui no meio da charneca, sem nenhum sinal de vida perto dela, apenas a chama isolada, reta, amarela e o brilho da pedra de cada lado dela.

– O que faremos agora? – cochichou Sir Henry.

– Espere aqui. Ele deve estar perto dessa luz. Vamos tentar vê-lo de relance.

Mal as palavras saíram da minha boca e o vimos. Estava sobre as rochas, na fenda em que a vela queimava. Era um rosto amarelo, malvado, um rosto terrível de animal, todo enrugado e marcado de paixões vis. Sujo de lama, com uma barba eriçada e cabelos emaranhados pendentes, bem podia ter pertencido a um daqueles velhos selvagens que habitavam as tocas das encostas das colinas. A luz embaixo dele refletia-se em seus olhos pequenos, astutos, que olhavam ferozmente para a direita e para a esquerda através da escuridão, como um animal manhoso e selvagem que ouviu os passos dos caçadores.

Alguma coisa evidentemente havia despertado suas suspeitas. Pode ser que Barrymore tivesse algum sinal particular que tivesse deixado de dar, ou o sujeito podia ter algum outro motivo para achar que nem tudo estava bem. Pude perceber os receios no rosto malvado. A qualquer instante, ele podia apagar a luz e desaparecer na escuridão.

Portanto, saltei para a frente, e Sir Henry fez o mesmo. No mesmo momento o condenado gritou uma praga para nós e atirou uma pedra que se espatifou contra a pedra que havia nos abrigado. Vi de relance seu vulto baixo, agachado, de constituição forte quando ficou de pé num pulo e virou-se para fugir. No mesmo momento, por um feliz acaso, a luz irrompeu das nuvens. Avançamos pelo alto da colina, e lá estava o nosso homem descendo a grande velocidade pelo outro lado, saltando sobre as pedras em seu caminho, com a agilidade de um cabrito montês. Um tiro feliz de grande alcance do meu revólver podia tê-lo atingido, mas eu o havia trazido apenas para me defender se fosse atacado, e não para atirar num homem desarmado que estava fugindo.

Éramos ambos corredores velozes e razoavelmente bem preparados, mas logo vimos que não tínhamos nenhuma chance de alcançá-lo. Avistamos por muito tempo ao luar até ele se transformar apenas num pontinho pequeno, fugindo rapidamente entre as pedras na encosta de uma colina distante. Corremos a ponto de ficarmos completamente sem fôlego, mas a distância entre nós crescia cada vez mais. Finalmente paramos e nos sentamos ofegantes sobre duas rochas, enquanto o víamos desaparecer longe.

E foi nesse momento que ocorreu uma coisa muito estranha e inesperada. Havíamos nos levantado de nossas rochas e estávamos nos virando para ir para casa, tendo abandonado a nossa perseguição inútil. A lua estava baixa à direita e o pico irregular de um monte de granito erguia-se contra a curva inferior do seu disco prateado. Lá, delineada, tão preta como uma estátua de ébano naquele pano de fundo brilhante, vi o vulto de um homem sobre o pico rochoso. Não pense que era uma ilusão, Holmes. Afirmo-lhe que nunca em minha vida vi nada mais claramente. Até onde posso julgar, o vulto era de um homem alto e magro. Estava parado com as pernas um pouco afastadas, os braços cruzados, a cabeça inclinada, como se estivesse meditando sobre aquela vastidão enorme de turfa e granito que se estendia diante dele. Ele podia ser o próprio espírito daquele lugar terrível. Não era o criminoso. Aquele homem estava longe do lugar onde o outro havia desaparecido. Além disso, era um homem muito mais alto. Com um grito de surpresa apontei-o para o baronete, mas no instante em que me virara para segurar o seu braço, o homem desapareceu. Lá estava o pico agudo de granito ainda cortando a beirada inferior da lua, mas o seu cume não revelava nenhum traço daquele vulto silencioso e imóvel.

Tentei seguir para aquela direção e revistar o pico, mas ficava meio longe. Os nervos do baronete ainda tremiam daquele grito, que relembrava a história obscura da sua família, e não estava disposto a novas aventuras. Ele não havia visto este homem solitário sobre o pico rochoso e não percebeu a euforia que essa estranha presença em sua atitude dominadora me causaram.

– Um guarda, sem dúvida – disse ele. – A charneca está cheia deles desde que aquele sujeito fugiu.

Talvez a explicação dele fosse lógica, mas gostaria de ter alguma outra prova disso. Hoje pretendemos comunicar ao pessoal de Princetown onde devem procurar seu homem desaparecido, mas é duro não podermos apresentá-lo como nosso prisioneiro. Essas são as aventuras de ontem à noite, e você tem de reconhecer, meu caro Holmes, que me saí muito bem na questão do relatório. Muitas coisas que lhe conto são bastante irrelevantes, mas acho que é melhor comunicar-lhe todos os fatos e deixá-lo escolher aqueles que são mais úteis, ajudando-o em suas conclusões. Estamos certamente fazendo algum progresso. No que diz respeito aos Barrymores, descobrimos o motivo dos seus atos, e isso esclareceu muito a situação. Mas a charneca com os seus mistérios e os seus estranhos habitantes continua tão inescrutável como sempre. Talvez em meu próximo relatório, possa lançar alguma luz sobre isto. Melhor do que tudo seria se você pudesse vir até aqui. De qualquer maneira, terá notícias minhas outra vez durante os próximos dias.

Trecho do diário do Dr. Watson

Até o momento eu pude citar os relatórios que enviei durante esses primeiros dias para Sherlock Holmes. Mas agora cheguei a um ponto em que sou obrigado a abandonar esse método e confiar mais uma vez nas minhas lembranças, ajudado pelo diário que mantive na ocasião. Alguns trechos do último me levarão àquelas cenas que estão definitivamente fixadas com todos os detalhes na minha memória. Continuo, então, da manhã que se seguiu à nossa perseguição ao criminoso e às nossas outras experiências estranhas na charneca.

16 de outubro

Um dia triste, com chuva fina e nevoeiro. A casa está envolta em névoas que se erguem de vez em quando para mostrar as curvas sombrias da charneca, com veias finas, prateadas, nas encostas das colinas e os rochedos distantes brilhando onde a luz bate sobre suas faces molhadas. A melancolia reina do lado de fora e de dentro. O baronete caiu numa reação estranha após as agitações da noite. Também estou consciente de um peso no coração e de uma sensação de perigo iminente, perigo sempre presente, que é terrível porque não consigo identificá-lo.

E não tenho eu motivos para essa sensação? Considere a longa sequência de incidentes, apontando todos para alguma influência sinistra que está operando à nossa volta. Há a morte do último ocupante do solar preenchendo exatidão as condições da lenda da família, e há as repetidas informações dos camponeses sobre a presença de uma estranha criatura na charneca. Duas vezes ouvi com os meus próprios ouvidos o som que parecia o ladrar distante de um cão. É incrível, impossível, que isso esteja realmente fora das leis normais da natureza. Um cão espectral que deixa pegadas físicas e enche o ar com o seu uivo certamente não é normal. Stapleton pode acreditar nessa superstição, e Mortimer também. Mas se eu tenho uma qualidade nesta vida é o bom senso, e nada me fará acreditar numa coisa dessas. Crer seria descer ao nível desses pobres camponeses, que não se satisfazem com um simples cão diabólico. Precisam descrevê-lo com a boca e os olhos vomitando fogo do inferno. Holmes não escutaria tais fantasias, e eu sou seu assistente. Mas fatos são fatos, e já ouvi duas vezes esse som na charneca. Suponhamos que houvesse realmente um cão enorme solto nela. Isso explicaria quase tudo. Mas onde um cão desses poderia ficar escondido, onde conseguiria ele a sua comida, de onde vinha ele, como é que ninguém o vê durante o dia? Devo confessar que a explicação natural oferece quase tantas dificuldades quanto a outra. Além do cão, há a influência humana em Londres: o homem do táxi e a carta que preveniu Sir

Henry contra a charneca. Isso era real, mas podia ter sido obra de um amigo protetor tão provavelmente como de um inimigo. Onde está esse amigo ou inimigo agora? Ele ficou em Londres, ou nos seguiu até aqui? Poderia ser o estranho que vi sobre o pico rochoso?

É verdade que só o vi uma vez de relance. Apesar disso, há algumas coisas pelas quais estou pronto a jurar. Ele não é ninguém que já tenha visto aqui, e agora já conheci todos os vizinhos. O vulto era muito mais alto do que Stapleton e muito mais magro do que Frankland. Poderia ter sido Barrymore, mas nós o havíamos deixado para trás, e estou certo de que ele não teria nos seguido. Um estranho continua no nosso encalço, da mesma forma como em Londres. Nunca conseguimos nos livrar dele. Se eu pudesse pôr minhas mãos nesse homem, então poderíamos finalmente acabar com nossas dificuldades. A esse único propósito devo agora dedicar todas as minhas energias.

Meu primeiro impulso foi contar a Sir Henry todos os meus planos. Meu segundo impulso e mais prudente é jogar o meu próprio jogo e falar o menos possível com qualquer pessoa. Ele é silencioso e distraído. Seus nervos foram estranhamente abalados por aquele som na charneca. Não direi nada que aumente suas ansiedades, mas tomarei minhas próprias medidas para alcançar meu objetivo.

Tivemos uma pequena cena esta manhã após o café. Barrymore pediu licença para falar com Sir Henry, e eles ficaram fechados no seu escritório por pouco tempo. Sentado na sala de bilhar, percebi mais de uma vez o tom das vozes se elevar, e tive uma ideia bem clara de que ponto estava em discussão. Após um certo tempo o baronete abriu a porta e me chamou.

– Barrymore acha que tem motivo de queixa – disse ele. – Acha que foi injusto de nossa parte sair caçando o seu cunhado quando ele, por sua espontânea vontade, contou o segredo.

O mordomo estava parado muito pálido mas muito senhor de si diante de nós.

– Talvez tenha falado muito acaloradamente, senhor, e peço que me perdoe. Ao mesmo tempo, fiquei muito surpreso quando ouvi os dois cavalheiros voltarem esta manhã e soube que estiveram perseguindo Selden. O coitado já tem bastante contra o que lutar sem eu pôr mais gente na sua pista.

– Se você tivesse nos contado por sua livre e espontânea vontade, teria sido diferente – disse o baronete. – Só nos contou, ou melhor, sua mulher nos contou, quando foi obrigado e não pôde evitar.

– Não pensei que os senhores fossem se aproveitar disso, Sir Henry, na verdade não imaginei.

– O homem é um perigo público. Há casas isoladas espalhadas pela charneca, e ele é um sujeito que não se detém diante de nada. Basta dar uma olhada para o rosto dele para compreender isso. Veja a casa do Sr. Stapleton, por exemplo, sem ninguém a não ser ele próprio para defendê-la. Não há nenhuma segurança para ninguém até estar trancada a chave.

– Ele não entrará em casa nenhuma, senhor. Dou-lhe a minha palavra solene quanto a isso. Nunca mais incomodará ninguém neste país outra vez. Garanto-lhe, Sir Henry, que dentro de poucos dias os arranjos necessários terão sido feitos e estará a caminho da América do Sul. Pelo amor de Deus, senhor, peço-lhe para não deixar a polícia saber que ele ainda está na charneca. Desistiram da busca aqui, e ele pode ficar escondido quieto até o navio estar pronto para partir. O senhor não pode denunciá-lo sem causar problemas para mim e minha mulher. Peço-lhe, senhor, para não dizer nada à polícia.

– O que você acha, Watson?

Eu encolhi os ombros.

– Se ele saísse com segurança do país, aliviaria os contribuintes de um fardo.

– E se ele assaltar alguém antes de ir embora?

– Não faria nada tão louco, senhor. Fornecemos a ele tudo que possa precisar. Cometer um crime seria revelar onde está escondido.

– Isso é verdade, Barrymore... – concordou Sir Henry.

– Deus o abençoe, senhor, e obrigado do fundo do meu coração! Se ele for preso outra vez, mataria minha pobre mulher.

– Parece que estamos ajudando e favorecendo um crime, Watson. Mas, depois do que ouvimos, acho que não posso entregar o homem, portanto está decidido. Está bem, Barrymore, você pode ir.

Com algumas palavras entrecortadas de gratidão, o homem se virou, mas hesitou e depois voltou.

– Foi tão bom para nós, senhor, que eu gostaria de fazer o melhor que puder para retribuir. Eu sei uma coisa, Sir Henry, e talvez devesse ter revelado antes, mas foi muito depois do inquérito que eu a descobri. Nunca disse uma palavra sequer sobre isso a nenhum mortal. É sobre a morte do pobre Sir Charles.

O baronete e eu ficamos ambos de pé.

– Você sabe como ele morreu?

– Não, senhor, isso eu não sei.

– O que é, então?

– Sei por que ele esteve no portão naquela hora. Foi para se encontrar com uma mulher.

– Encontrar-se com uma mulher? Ele?

– Sim, senhor.

– E o nome da mulher?

– Não posso dar-lhe o nome, senhor, mas posso revelar as inicias. As iniciais dela eram L.L.

– Como sabe disso, Barrymore?

– Sir Henry, o seu tio recebeu uma carta naquela manhã. Geralmente recebia muitas cartas, porque era um homem público e bem conhecido pelo seu coração bondoso. Todo mundo que estivesse com problemas gostava de recorrer a ele. Mas naquela manhã, por acaso, havia apenas esta carta, portanto reparei bem nela. Vinha de Coombe Tracey, e estava sobrescrita com letra de mulher.

– E então?

– Bem, senhor, não pensei mais no assunto, e nunca teria pensado se não fosse por minha mulher. Há algumas semanas ela estava limpando o escritório de Sir Charles, que nunca foi tocado depois de sua morte, e encontrou as cinzas de uma carta queimada no fundo da grade da lareira. A maior parte dela estava carbonizada aos pedaços, mas uma pequena tira, o fim de uma página, pendia inteira, e o que estava escrito ainda podia ser lido, embora estivesse cinzento num fundo preto. Pareceu-nos ser um pós-escrito no fim da carta, e dizia: "Por favor, como o senhor é um cavalheiro, queime esta carta e esteja no portão às dez horas". Embaixo disso estavam assinadas as iniciais L.L.

– Você tem essa tira?

– Não, senhor, se esfarelou depois de mexermos nela.

–Sir Charles recebeu alguma outra carta com a mesma letra?

– Bem, senhor, não prestava muita atenção às cartas. Eu não notaria aquela se por acaso não tivesse chegado sozinha.

– E você não tem nenhuma ideia de quem seja L. L.?

– Não, senhor. Não mais do que o senhor. Mas se pudermos encontrar essa dama, saberemos mais sobre a morte de Sir Charles.

– Não compreendo, Barrymore, como você escondeu essa informação importante.

– Acontece, senhor, que isso foi imediatamente após ocorrer nosso próprio problema. E também, senhor, nós dois gostávamos muito de Sir Charles, como devíamos, considerando tudo o que ele tinha feito por nós. Revolver isso não ajudaria o nosso pobre patrão, e é bom ter cuidado quando há uma dama no caso. Mesmo o melhor de nós...

– Você achou que isso podia prejudicar a sua reputação?

– Concluí que nada de bom podia resultar disso. Mas agora o senhor foi bom para nós, e achei que estaria sendo injusto se não contasse tudo o que sei a respeito.

– Está certo, Barrymore, pode ir.

Quando o mordomo havia nos deixado Sir Henry virou-se para mim:

– Watson, o que você acha dessa nova informação?

– Parece que ela deixa a escuridão mais negra do que antes.

– Também acho isso. Mas se pelo menos pudéssemos identificar L. L, isso poderia esclarecer tudo. Pelo menos isso ganharíamos. Sabemos que há alguém que conhece os fatos se pudermos encontrá-la. O que você acha que deve fazer?

– Comunicar tudo imediatamente a Holmes. Isso lhe fornecerá a pista que vem procurando. Isso pode trazê-lo até aqui.

Fui imediatamente para o meu quarto e escrevi o relatório da conversa da manhã para Holmes. Era evidente para mim que ele tinha estado muito ocupado ultimamente, porque as notas que recebi da Baker Street eram poucas e curtas, sem nenhum comentário sobre as informações que eu havia fornecido e dificilmente qualquer referência à minha missão. Sem dúvida o caso de chantagem está absorvendo todas as suas faculdades. Contudo, esse novo fator devia certamente lhe prender a atenção e renovar o seu interesse. Gostaria que ele estivesse aqui.

17 de outubro

Choveu hoje o dia todo, fazendo a hera farfalhar e pingar dos beirais. Pensei no foragido lá fora, na charneca descampada, fria e sem abrigo. Pobre diabo! Quaisquer que fossem os seus crimes, ele havia sofrido o bastante para expiá-los. E depois pensei naquele outro, o rosto do cabriolé, o vulto contra a lua. Estaria ele também lá fora, naquele dilúvio, o vigilante invisível, o homem da escuridão? À noite pus o sobretudo e dei uma longa caminhada pela charneca encharcada, cheio de pensamentos sombrios, com a chuva batendo no rosto e o vento assoviando nos ouvidos. Deus ajude aqueles que vagueiam para dentro do grande pântano agora, porque até as terras altas estão se tomando um atoleiro. Encontrei o pico rochoso preto sobre o qual havia visto o vigilante solitário, e do seu cume irregular olhei para as depressões melancólicas. Pancadas de chuva passavam pela superfície avermelhada, e as nuvens pesadas, cor de ardósia, pendiam baixas sobre a paisagem, arrastando espirais cinzentas para baixo nos lados das colinas fantásticas. Na depressão distante, à esquerda, meio escondidas pela neblina, as duas torres finas do solar Baskerville erguiam-se sobre as árvores. Elas eram os únicos sinais de vida humana que eu podia ver, salvo aquelas cabanas pré-históricas das encostas das colinas. Em parte alguma havia qualquer sinal do homem solitário que eu havia visto no mesmo ponto duas noites antes.

Quando caminhava Dr. Mortimer me alcançou com sua charrete no caminho irregular da charneca que saía da casa de fazenda isolada de Foulmire. Ele tem sido muito atencioso conosco, e dificilmente se passa um dia sem que ele vá ao solar para saber como estamos. Insistiu para que eu subisse na sua charrete e me deu uma carona para casa. Achei-o muito perturbado pelo desaparecimento do seu pequeno spaniel. Ele havia fugido para a charneca e jamais voltara. Consolei-o como pude, mas me lembrei do pônei no pântano de Grimpen, e imaginei que ele não verá mais o seu cachorrinho outra vez.

– Mortimer, – disse eu quando nos sacudíamos pela estrada íngreme – suponho que haja poucas pessoas morando a uma distância que se possa ir de charrete daqui que você não conheça?

– Dificilmente alguma, acho eu.

– Pode, então, me dizer se lembra de alguma mulher cujas iniciais sejam L. L.?

– Não – disse ele. – Há alguns ciganos e trabalhadores por quem não posso responder, mas entre os fazendeiros ou a pequena nobreza não há ninguém cujas iniciais sejam essas. Espere um pouco – acrescentou ele após uma pausa. – Laura Lyons, as iniciais dela são L.L., mas ela mora em Coombe Tracey.

– Quem é ela? – perguntei.

– É a filha de Frankland.

– O quê? Do velho Frankland, o maluco?

– Exatamente. Ela se casou com um artista chamado Lyons que veio desenhar na charneca. Ele provou ser um patife e a abandonou. A culpa, pelo que ouço, pode não ter estado inteiramente de um lado. O pai não quis mais saber dela porque se casou sem o seu consentimento, e talvez por um ou dois outros motivos também. Assim, entre o velho e o moço, a garota tem passado um mau pedaço.

– De que vive ela?

– Imagino que o velho Frankland lhe dê uma mesada insignificante, que não pode ser maior, porque os próprios negócios dele estão comprometidos. O que quer que possa ter ocorrido, não se pode permitir que ela vá para o mal. A história dela se espalhou, e várias pessoas aqui fizeram alguma coisa para permitir-lhe ganhar a vida honestamente. Stapleton foi um e Sir Charles, outro. Eu mesmo dei uma ninharia. Era para que ela pudesse iniciar um negócio de datilografia.

Ele quis saber o propósito das minhas perguntas. Consegui satisfazer a sua curiosidade sem contar-lhe muito, porque não há nenhum motivo para que tenhamos que confiar em alguém. Amanhã de manhã acharei meu caminho até Coorribe Tracey, e se eu puder ver essa Sra. Laura Lyons, de reputação duvidosa, daremos um longo passo para esclarecer um incidente nesta cadeia de mistérios. Certamente estou adquirindo a sabedoria da serpente, porque quando Mortimer insistiu nas suas perguntas até um ponto inconveniente, perguntei-lhe casualmente a que tipo pertencia o crânio de Frankland, e assim não ouvi mais nada senão craniologia durante o resto da nossa viagem. Não foi impunemente que morei anos com Sherlock Holmes.

Tenho um outro incidente para relatar neste dia tempestuoso e melancólico. Essa foi a minha conversa corri Barrymore ainda há pouco, que me dá mais um trunfo para usar no devido tempo.

Mortimer havia ficado para jantar, e ele e o baronete jogaram écarté depois. O mordomo trouxe o meu café na biblioteca, e aproveitei a oportunidade para fazer algumas perguntas a ele:

– Esse estimado parente seu partiu ou ainda está escondido lá longe?

– Não sei, senhor. Espero, por Deus, que tenha ido, porque ele não causou senão problemas aqui! Não tive notícias dele desde que deixei comida para ele da última vez, e isso foi há três dias atrás.

– Você o viu então?

– Não, senhor, mas a comida tinha desaparecido quando fui lá da vez seguinte.

– Então ele estava lá com certeza?

– Assim se pode pensar, senhor, a menos que outra pessoa a tenha tirado.

Sentei-me com a xícara de café a meio caminho dos meus lábios e fiquei olhando para Barrymore.

– Você sabe que há outro homem, então?

– Sim, senhor; há outro homem na charneca.

– Você o viu?

– Não, senhor.

– Corno sabe dele então?

– Selden me falou sobre ele, senhor, há uma semana atrás ou mais. Ele está escondido também, mas ele não é um foragido, pelo que posso entender. Não gosto disso, Dr. Watson, digo-lhe francamente, senhor, que não gosto disso. – falou com uma paixão súbita de seriedade.

– Agora, ouça-me, Barrymore! Não tenho nenhum interesse nesse assunto senão o do seu patrão. Vim para cá sem nenhum objetivo, exceto ajudá-lo. Diga-me, francamente, do que é que você não gosta?

Barrymore hesitou por um momento, como se estivesse arrependido da própria explosão ou achado difícil exprimir em palavras os seus próprios sentimentos.

– São todas essas extravagâncias, senhor – exclamou ele por fim acenando com a mão em direção à janela batida pela chuva que dava para a charneca. – Há traição em algum lugar e perversidade sinistra fervendo, é o que sinto! Ficaria muito satisfeito em ver Sir Henry de volta para Londres outra vez!

– Mas o que é que o assusta?

– Veja a morte de Sir Charles! Isso foi bastante ruim, apesar de tudo o que o magistrado disse. Veja os ruídos na charneca à noite. Não há um único homem que a atravesse após o pôr-do-sol, mesmo que seja pago para isso. Veja este estranho escondido lá longe, observando e esperando! O que está ele esperando? O que significa isso? Não significa nada de bom para ninguém com o nome de Baskerville, e preferia largar isso tudo no dia em que os novos empregados de Sir Henry estivessem prontos para cuidar do solar.

– Mas quanto a esse estranho – disse eu. – Você pode me dizer alguma coisa sobre ele? O que diz Selden? Descobriu onde se esconde, ou o que está fazendo?

– Ele o viu uma ou duas vezes, mas ele é muito astuto e não conta nada. A princípio pensou que fosse da polícia, mas logo descobriu que tinha alguma outra profissão. Era uma espécie de cavalheiro, até onde pôde ver, mas o que estava fazendo, não conseguiu saber.

– E onde foi que ele disse que o homem vivia?

– Entre as velhas casas na encosta da colina, as cabanas de pedra que o pessoal antigo usava para morar.

– E como se alimenta?

– Selden descobriu que tem um menino que trabalha para ele. Leva e traz tudo que precisa. Arrisco-me a dizer que vai buscar em Coorribe Tracey.

– Muito bem, Barrymore. Podemos falar mais sobre isso em alguma outra ocasião.

Quando o mordomo havia ido embora, fui até a janela preta e olhei através de uma vidraça manchada para as nuvens que passavam e para a silhueta agitada das árvores varridas pelo vento. A noite estava tempestuosa lá fora, como devia estar numa cabana de pedra na charneca. O que leva um homem a se esconder num lugar desses numa ocasião dessa? E que objetivo profundo e sério pode ter ele que exija uma tal provação? Lá, naquela cabana sobre a charneca, parece estar o próprio centro daquele problema que me perturba tão dolorosamente. Juro que outro dia não se passará antes de eu ter feito tudo que um homem pode fazer para atingir o âmago do mistério.

XI

O homem sobre o pico Rochoso

O trecho do meu diário particular que constitui o último capítulo atualizou a minha narrativa até o dia 18 de outubro, ocasião em que estes estranhos acontecimentos começaram a se mover rapidamente para a sua terrível conclusão. Os incidentes dos poucos dias seguintes estão definitivamente gravados na minha memória, e posso contá-los sem referências às anotações feitas na ocasião. Começo, portanto, do dia que sucedeu aquele em que eu havia estabelecido dois fatos de grande importância, um que a Sra. Laura Lyons, de Coombe Tracey, havia escrito para Sir Charles Baskerville e marcado um encontro com ele no próprio lugar e hora onde ele veio a morrer; o outro, que o homem escondido na charneca podia ser encontrado entre as cabanas de pedra na encosta da colina. Com estes dois fatos em meu poder achei que a minha inteligência ou a minha coragem deviam ser deficientes se eu não pudesse lançar alguma outra luz sobre esses lugares escuros.

Não tive nenhuma oportunidade de contar ao baronete o que soube sobre a Sra. Lyons na noite anterior, porque o Dr. Mortimer ficou jogando cartas com ele até muito tarde. Ao café, contudo, informei-o sobre minha descoberta e perguntei se queria me acompanhar até Coombe Tracey. A princípio ele ficou muito ansioso para ir, mas, pensando melhor, pareceu-nos a ambos que se eu fosse sozinho os resultados seriam melhores. Quanto mais formal tornássemos a visita, menos informações podíamos obter. Deixei Sir Henry para trás, portanto, não sem alguns escrúpulos de consciência, e parti de trole para a minha nova investigação.

Quando cheguei a Coombe Tracey disse a Perkins para guardar os cavalos e perguntei sobre a dama a quem eu viera interrogar. Não tive nenhuma dificuldade em descobrir onde morava, que era num lugar central e bem determinado. Uma criada introduziu-me sem cerimônia, e quando entrei na sala, uma dama que estava sentada diante de uma máquina de escrever Remington ergueu-se rapidamente com um sorriso agradável de boas-vindas. Sua fisionomia ficou desapontada, contudo, quando viu que eu era um estranho, e sentou-se novamente perguntando-me o objetivo da minha visita.

A primeira impressão deixada pela Sra. Lyons era de extrema beleza. Seus olhos e cabelos eram da mesma cor castanho-avermelhada, rica, e suas faces, embora consideravelmente sardentas, estavam coradas pela frescura encantadora de um moreno trigueiro, como o tom rosa delicado que se esconde no centro da rosa amarela. De admiração foi, repito, a primeira impressão. Mas a segunda foi de crítica. Havia alguma coisa sutilmente errada com o rosto, certa aspereza de expressão, certa dureza do olhar, certa frouxidão do lábio que perturbavam sua beleza perfeita. Mas estes, naturalmente, são pensamentos posteriores. No momento fiquei simplesmente consciente de que estava na presença de uma mulher muito bonita, que ela estava perguntando o motivo da minha visita. Eu não tinha compreendido bem até aquele instante como a minha missão era delicada.

– Tenho o prazer – disse eu – de conhecer o seu pai.

Essa foi uma apresentação desajeitada, e a dama me fez sentir isso.

– Não há nada em comum entre eu e meu pai – disse ela. – Não devo nada a ele e os amigos dele não são meus amigos. Se não fosse o falecido Sir Charles Baskerville e alguns outros corações compassivos, eu podia morrer de fome que meu pai pouco se importava.

– É para falar sobre o falecido Sir Charles Baskerville que vim aqui vê-la.

As sardas se projetaram no rosto da dama.

– O que posso dizer-lhe sobre ele? – perguntou ela, e seus dedos tocaram nervosamente nas teclas da máquina de escrever.

– A senhora se correspondia com ele?

A dama ergueu os olhos rapidamente com um brilho de raiva nos seus olhos castanhos.

– Qual é o objetivo dessas perguntas? – perguntou ela energicamente.

– O objetivo é evitar um escândalo público. É melhor eu fazê-las; aqui do que o assunto sair fora do nosso controle.

Ela estava silenciosa e seu rosto, muito pálido. Por fim ergueu os olhos com um modo um tanto desafiador e temerário.

– Bem, vou responder – disse ela. – Quais são as suas perguntas?

– A senhora se correspondia com Sir Charles?

– Certamente escrevi-lhe uma ou duas vezes para agradecer sua delicadeza e generosidade.

– A senhora sabe as datas dessas cartas?

– Não.

– A senhora alguma vez se encontrou com ele?

– Sim, uma ou duas vezes, quando ele veio a Coorribe Tracey. Ele era um homem muito reservado, e preferia fazer o bem escondido.

– Mas se a senhora o viu tão pouco e escreveu tão raramente, como ele soube o suficiente sobre os seus negócios para poder ajudá-la, como a senhora diz que ele fez?

Ela enfrentou a minha dificuldade com a máxima presteza.

– Havia vários cavalheiros que conheciam a minha triste história e se uniram para me ajudar. Um foi o Sr. Stapleton, um vizinho e amigo íntimo de Sir Charles. Ele foi muito bondoso, e foi através dele que Sir Charles soube do meu caso.

Eu já sabia que Sir Charles Baskerville havia tornado Stapleton seu esmoler em várias ocasiões, portanto a afirmação da dama trazia consigo o selo da verdade.

– A senhora alguma vez escreveu a Sir Charles pedindo a ele para encontrar-se com a senhora? – continuei.

A Sra. Lyons corou de raiva outra vez.

– Realmente, senhor, esta é uma pergunta muito extraordinária.

– Desculpe, madame, mas sou forçado a repeti-la.

– Então respondo: certamente não.

– Nem no próprio dia da morte de Sir Charles?

O corado desapareceu num instante e um rosto mortal estava diante de mim. Seus lábios secos não conseguiam dizer o "não", que eu mais vi do que ouvi.

– Certamente a sua memória a engana – disse eu. – Posso até citar uma passagem da sua carta. Ela diz:"Por favor, por favor, já que o senhor é um cavalheiro, queime esta carta e esteja no portão às dez horas."

Pensei que ela tivesse desmaiado, mas ela se recuperou com um esforço supremo.

– Será que não existem mais cavalheiros? – disse ela ofegante.

– Eu não disse que havia lido toda a carta.

– O senhor citou uma parte dela.

– Citei o pós-escrito. A carta, como disse, foi queimada e ela não era de todo legível. Pergunto-lhe mais uma vez por que foi tão insistente para que Sir Charles destruísse essa carta que ele recebeu no dia da sua morte?

– O assunto é muito particular.

– Motivo mais forte para a senhora evitar uma investigação pública.

– Vou contar ao senhor, então. Se o senhor ouviu alguma coisa sobre a minha infeliz história saberá que fiz um casamento precipitado e tive motivos para me arrepender dele.

– Ouvi dizer isso.

– Minha vida tem sido uma perseguição incessante de um marido que detesto. A lei está do lado dele, e cada dia enfrento a possibilidade de ele poder me forçar a ir viver com ele. Na ocasião em que escrevi essa carta a Sir Charles, eu soubera que havia uma perspectiva de recuperar a minha liberdade se pudesse fazer face a certas despesas. Isso significava tudo para mim: paz de espírito, felicidade, respeito próprio, tudo. Eu conhecia a generosidade de Sir Charles e achei que se ele ouvisse a história dos meus próprios lábios, me ajudaria.

– Então como é que a senhora não foi?

– Porque recebi ajuda, no intervalo, de outra fonte.

– Por que, então, a senhora não escreveu a Sir Charles e explicou isso?

– É o que eu teria feito, se não tivesse visto sua morte no jornal na manhã seguinte.

– A senhora faz uma injustiça a Sir Charles. Ele queimou a carta. Mas algumas vezes uma carta pode ser legível mesmo quando queimada. A senhora reconhece agora que a escreveu.

– Sim, escrevi-a – exclamou ela despejando a alma numa torrente de palavras. – Escrevi-a. Por que deveria negar? Não tenho nenhum motivo para me envergonhar disso. Eu queria que ele me ajudasse. Eu acreditava que se tivesse uma entrevista, poderia conseguir a sua ajuda, portanto pedi a ele para se encontrar comigo.

– Mas por que a uma hora dessas?

– Porque eu tinha acabado de saber que ele ia para Londres no dia seguinte e podia ficar longe durante meses. Havia motivos pelos quais eu não podia chegar lá mais cedo.

– Mas por que um encontro no jardim em vez de uma visita à casa?

– O senhor acha que uma mulher pode ir sozinha a essa hora à casa de um solteirão?

– Bem, o que aconteceu quando a senhora chegou lá?

– Eu não fui.

– Sra. Lyons!

– Não, juro-lhe por tudo que me é sagrado. Não fui. Uma coisa interferiu para impedir a minha ida.

– O que foi?

– Isso é assunto particular. Não posso contar.

A senhora reconhece então que marcou um encontro com Sir Charles na própria hora e no lugar em que ele morreu, mas nega ter comparecido.

– Essa é a verdade.

Interroguei-a repetidas vezes, mas não consegui ir além desse ponto.

– Sra. Lyons, – disse eu quando me ergui dessa longa e inconclusiva entrevista – a senhora está assumindo uma responsabilidade muito grande e colocando-se numa posição muito falsa por não confessar absolutamente tudo o que sabe. Se eu tiver que pedir o auxílio da polícia, a senhora descobrirá como está seriamente comprometida. Se a senhora é inocente, por que negou no primeiro caso ter escrito a Sir Charles naquela data?

– Porque eu receava que pudesse ser tirada alguma falsa conclusão disso, e poder ver-me envolvida num escândalo.

– E por que a senhora foi tão insistente para que Sir Charles destruísse a sua carta?

– Se o senhor tivesse lido a carta, saberia.

A história da mulher era coerente, e todas as minhas perguntas foram incapazes de abalá-la. Eu só podia verificá-la descobrindo se ela tinha, realmente, iniciado a ação de divórcio contra seu marido na ocasião da tragédia ou por volta dela.

Era pouco provável que ela se atrevesse a dizer não ter estado no Solar Baskerville se realmente tivesse estado, porque seria necessário uma carruagem para levá-la até lá, e não podia ter voltado a Coombe Tracey antes das primeiras horas da manhã. Uma excursão dessas não podia ser mantida em segredo. A probabilidade era, portanto, de que ela estivesse dizendo a verdade ou, pelo menos, parte da verdade. Saí confuso e desanimado. Mais uma vez havia chegado àquele beco sem saída que parecia ter sido obstruído em todos os caminhos pelos quais tentava chegar ao objetivo da minha missão. E apesar disso, quanto mais eu pensava no rosto da dama e nos seus modos, mais eu sentia que alguma coisa estava sendo escondida de mim. Por que ela ficara tão pálida? Por que lutava contra cada admissão até esta ser extraída dela à força? Por que tivera que ser tão reticente por ocasião da tragédia? Certamente a explicação de tudo isso não podia ser tão inocente como ela queria me fazer crer. No momento não podia continuar mais naquela direção, mas devia me voltar para aquela outra pista que devia ser procurada entre as cabanas de pedra da charneca.

E essa era uma indicação muito vaga. Percebi isso ao voltar no trole e notar como colina após colina apresentavam vestígios do povo antigo. A única indicação de Barrymore tinha sido de que o estranho morava numa dessas cabanas abandonadas, e muitas centenas delas estão espalhadas por todo o comprimento e largura da charneca. Mas eu tinha a minha própria experiência como guia já que ela havia me mostrado o próprio homem em pé sobre o cume do pico Rochoso. Esse, então, devia ser o centro da minha busca. A partir de lá eu devia explorar cada cabana da charneca até dar com a certa. Se esse homem estivesse dentro dela, eu tinha que descobrir pelos seus próprios lábios, apontando o meu revólver se necessário, quem era ele e por que nos seguira por tanto tempo. Ele podia escapar de nós por entre a multidão da rua Regent, mas ficaria embaraçado para fazer isso na charneca solitária. Por outro lado, se encontrasse a cabana e o seu inquilino não estivesse dentro dela, eu tinha que ficar lá, por mais longa que fosse a vigília, até ele voltar. Holmes o havia perdido em Londres. Seria realmente um triunfo para mim se pudesse achá-lo, onde o meu mestre havia falhado.

A sorte tinha estado contra nós repetidas vezes nesta investigação, mas agora finalmente ela veio em meu auxílio. E o mensageiro da boa nova não foi nenhum outro do que o Sr. Frankland, que estava parado, com as suíças grisalhas e o rosto vermelho, do lado de fora do portão do seu jardim, que se abria para a estrada pela qual eu seguia.

– Bom dia, Dr. Watson – exclamou ele com desusado bom humor. – O senhor precisa realmente deixar os seus cavalos descansarem e entrar para tomar um cálice de vinho e me felicitar.

Meus sentimentos para com ele estavam longe de ser amistosos depois do que eu havia ouvido do tratamento que dera à filha, mas eu estava ansioso para mandar Perkins e o trole para casa, e a oportunidade era boa. Desci e mandei um recado para Sir Henry de que voltaria a pé a tempo para o jantar. Depois segui Frankland até a sua sala de jantar.

– É um grande dia para mim, Dr. Watson, um dos dias memoráveis da minha vida – exclamou ele com muitos risos reprimidos. – Realizei um feito duplo. Quero mostrar a eles nestas partes que lei é lei, e que há um homem aqui que não tem medo de invocá-la. Estabeleci uma passagem pelo meio do velho parque de Middleton, diretamente no meio dele, Dr. Watson, a noventa metros de sua própria porta da frente. O que acha disso? Ensinaremos a esses magnatas que eles não podem passar tiranicamente sobre os direitos dos plebeus, diabos os levem! E fechei a floresta onde a família Femworthy costumava fazer piquenique. Esta gente infernal parece pensar que não há nenhum direito de propriedade, e que eles podem formigar por onde quiserem com seus papéis e suas garrafas. Ambos os casos decididos, Dr. Watson, e ambos a meu favor. Não tinha tido um dia desses desde que processei Sir John Morland por invasão, porque ele atirou em seu próprio parque.

– Como diabo o senhor conseguiu isso?

– Procurei referências nos livros, Dr. Watson. Vale a pena ler, Frankland versus Morland, Tribunal Superior de Justiça. Custou-me duzentas libras, mas consegui minha sentença.

– Isso lhe fez algum bem?

– Nenhum, senhor, nenhum. Orgulho-me em dizer que não tenho nenhum interesse na questão. Ajo inteiramente com um sentido de dever público. Não tenho nenhuma dúvida, por exemplo, de que a família Femworthy me queimará em efígie esta noite. Eu disse à polícia da última vez que eles fizeram isso que devia impedir essas exibições vergonhosas. A polícia do condado está num estado escandaloso, senhor, e não me deu a proteção a que tenho direito. O caso Frankland versus Regina levará a questão à atenção do público. Eu disse a eles que eles teriam ocasião de lamentar o tratamento que me dispensaram, e as minhas palavras já se tomaram realidade.

– Como assim? – perguntei.

O velho assumiu uma expressão muito astuta.

– Porque posso dizer a eles o que eles estão morrendo para saber; mas nada me convencerá a ajudar os patifes de qualquer maneira.

Eu estivera procurando com empenho alguma desculpa pela qual pudesse me livrar dos seus mexericos, mas agora comecei a desejar ouvir mais. Havia visto o suficiente da natureza caprichosa do velho pecador para compreender que qualquer indicação forte de interesse seria a maneira mais certa de interromper as suas confidências.

– Algum caso de invasão, sem dúvida? – disse eu de maneira indiferente.

– Havia, meu rapaz, uma questão muito mais importante do que isso! E quanto ao condenado na charneca?

Levei um susto.

– O senhor não quer dizer que sabe onde ele está? – perguntei.

– Pode ser que não saiba exatamente onde está, mas estou absolutamente certo de que posso ajudar a polícia a pôr as mãos nele. Nunca lhe ocorreu que a maneira de pegar esse homem é descobrir onde consegue a comida, e assim segui-la até ele?

Ele certamente parecia estar chegando incomodamente perto da verdade.

– Sem dúvida – disse eu. – Mas como o senhor sabe que ele está em alguma parte da charneca?

– Sei porque vi com os meus próprios olhos o mensageiro que leva a comida para ele.

Meu coração sucumbiu por Barrymore. Era uma coisa séria cair em poder desse velho abelhudo e vingativo. Mas seu comentário seguinte tirou um peso da minha alma.

– O senhor ficaria surpreso de saber que a comida dele é levada por uma criança. Eu o vejo todo dia pelo meu telescópio sobre o telhado. Ele passa pelo mesmo caminho à mesma hora, e para quem ele deve estar trabalhando, senão para o condenado?

Isso era sorte, realmente! Mas disfarcei meu interesse. Uma criança! Barrymore havia dito que o nosso desconhecido era abastecido por um rapaz. Foi na pista dele, e não na do condenado, que Frankland havia tropeçado. Se eu conseguisse saber o que ele sabia, podia me economizar uma busca longa e cansativa. Mas a incredulidade e a indiferença eram evidentemente minhas cartas mais fortes.

– Eu diria que é muito mais provável que seja o filho de algum dos pastores da charneca levando o jantar do seu pai.

A menor aparência de oposição tocou fogo no velho autocrata. Seus olhos olharam malignamente para mim, e suas suíças grisalhas se eriçaram como as de um gato enfurecido.

– Realmente, Dr. Watson! – disse ele apontando para a vasta charneca. – Está vendo aquele pico rochoso negro lá longe? Bem, está vendo a colina baixa além com moitas espinhosas em cima? Aquela é a parte mais rochosa de toda a charneca. Aquele é um lugar onde um pastor teria probabilidade de ficar? A sua hipótese, Dr. Watson, é completamente absurda.

Respondi humildemente que havia falado sem conhecer todos os fatos. Minha submissão agradou-o e levou-o a outras confidências.

– Pode estar certo, Dr. Watson, que tenho muito bons fundamentos antes de chegar a uma opinião. Vi o menino várias vezes com a sua trouxa. Todos os dias, e algumas vezes duas vezes por dia, pude... mas espere um momento, Dr. Watson. Os meus olhos me enganam, ou há no momento alguma coisa se movendo na encosta daquela colina?

Estava a vários quilômetros de distância, mas pude ver nitidamente um pontinho preto contra o verde e o cinzento escuros.

– Venha, venha! – exclamou Frankland subindo a escada correndo. – O senhor verá com os seus próprios olhos e julgará por si mesmo.

O telescópio, um instrumento formidável, montado sobre um tripé, estava sobre as folhas de chumbo do telhado. Frankland encostou o olho vigorosamente a ele e deu um grito de satisfação.

– Depressa, Dr. Watson, depressa, antes que ele passe por cima da colina!

Lá estava ele, realmente, um menino pequeno com uma pequena trouxa sobre o ombro, subindo a colina com esforço e lentamente. Quando chegou em cima vi o vulto misterioso delineado por um instante contra o frio céu azul. Ele olhou em volta, com um aspecto furtivo e dissimulado, como alguém que receia ser perseguido. Depois desapareceu sobre a colina.

– Bem! Estou certo?

– Há um menino, sem dúvida, que parece ter alguma missão secreta.

– E qual é a missão até um policial de condado pode imaginar. Mas eles não ouvirão de mim nem uma palavra, e imponho-lhe a obrigação do segredo, também, Dr. Watson. Nem uma palavra! O senhor compreende!

Frankland encostou o olho vigorosamente a ele e deu um grito de satisfação (Ilustração de Sidney Paget).

– Como quiser.

– Eles têm me tratado vergonhosamente. Quando os fatos surgirem em Frankland versus Regina arrisco-me a pensar que uma onda de indignação percorrerá o país. Nada me convenceria a ajudar a polícia em qualquer sentido. Eles pouco se importariam que pudesse ter sido eu em vez da minha efígie, que estes patifes queimassem na estaca. Certamente o senhor não está indo embora? O senhor me ajudará a esvaziar a garrafa em homenagem a esta grande ocasião!

Resisti a todas as suas solicitações e consegui dissuadi-lo da sua intenção anunciada de me acompanhar até em casa. Segui pela estrada enquanto os seus olhos estavam sobre mim, e depois atalhei pela charneca e me dirigi para a colina rochosa sobre a qual o menino havia desaparecido. Tudo estava trabalhando a meu favor, e jurei que não seria por falta de energia ou perseverança que eu perderia a oportunidade que o destino havia lançado em meu caminho.

O sol já estava se pondo quando cheguei ao alto da colina, e as longas encostas abaixo de mim estavam todas verde douradas de um lado e cinzentas sombrias do outro. Uma neblina baixa pairava sobre o horizonte longínquo, do qual se projetavam as formas fantásticas dos picos Rochosos de Belliver e Vixen. Sobre a vasta extensão não havia nenhum som e nenhum movimento. Uma grande ave cinzenta, uma gaivota ou um maçarico, pairava no espaço azul do céu. Ela e eu parecíamos ser as únicas coisas vivas entre a enorme abóbada do céu e o deserto sob ele. A cena descampada, a sensação de isolamento e o mistério e urgência da minha tarefa lançaram um calafrio no meu coração. O menino não podia ser visto em parte alguma. Mas bem abaixo de mim numa fenda das colinas havia um círculo de velhas cabanas de pedra, e no meio delas havia uma que conservava uma cobertura suficiente para servir como proteção contra o vento. Meu coração saltou dentro de mim quando a vi. Esse devia ser o abrigo onde o estranho se escondia. Por fim meu pé estava no limiar do seu esconderijo, seu segredo estava ao meu alcance.

Quando me aproximei da cabana, caminhando tão cuidadosamente quanto Stapleton faria quando, com a rede em posição, chegava perto da borboleta escolhida, certifiquei-me de que o lugar havia realmente sido usado como habitação. Um vago caminho por entre as pedras levava até a abertura dilapidada que servia de porta. Tudo estava em silêncio lá dentro. O desconhecido podia estar escondido ali, ou podia estar vagando pela charneca. Meus nervos vibravam com a sensação da aventura.

Atirando o meu cigarro para o lado, cerrei a mão sobre a coronha do meu revólver, e indo rapidamente até a porta, olhei para dentro. O lugar estava vazio.

Mas havia amplos sinais de que eu não seguira um rastro falso. Era certamente onde o homem morava. Alguns cobertores enrolados num impermeável jaziam sobre a própria laje de pedra sobre a qual o homem neolítico certa vez dormira. As cinzas de uma fogueira estavam amontoadas numa grade rústica. Ao lado dela havia alguns utensílios de cozinha e um balde com água pela metade. Uma confusão de latas vazias mostrava que o lugar havia sido ocupado por algum tempo, e vi, quando meus olhos ficaram acostumados à luz enfraquecida, uma canequinha e uma garrafa meio cheia de aguardente colocadas num canto. No meio da cabana uma pedra chata servia como mesa, e sobre esta estava uma pequena trouxa de pano, a mesma, sem dúvida, que eu havia visto pelo telescópio sobre o ombro do menino. Continha um pedaço de pão, uma língua em lata e duas latas de pêssegos em conserva. Quando larguei-a novamente, após tê-la examinado, meu coração deu um pulo ao ver que embaixo dela havia uma folha de papel com algo escrito. Levantei-a, e isto foi o que li, rabiscado a lápis, grosseiramente: "O Dr. Watson foi até Coombe Tracey."

Por um minuto fiquei parado ali com o papel na mão refletindo sobre essa curta mensagem. Era eu, então, e não Sir Henry, que estava sendo seguido por esse homem misterioso. Ele próprio não havia me seguido, mas havia posto um agente, o menino, talvez, na minha pista, e esse era o seu relatório. Provavelmente eu não tinha dado um passo desde que estava na charneca que não tivesse sido observado e repetido. Sempre houvera essa sensação de uma força invisível, uma rede fina puxada em volta de nós com habilidade e delicadeza infinitas, segurando-nos tão levemente que só em algum momento supremo é que se percebia estar emaranhado em suas malhas.

Se havia um relatório podia haver outros. Olhei em volta da cabana em busca deles. Não havia nenhum vestígio, contudo, de nada parecido, nem pude descobrir qualquer sinal que pudesse indicar o caráter ou intenções do homem que morava nesse lugar singular, salvo que ele devia ser de hábitos espartanos e dava pouca importância aos confortos da vida. Quando pensei nas fortes chuvas e olhei para o teto escancarado compreendi como devia ser forte e imutável o propósito que o havia mantido naquela habitação inóspita. Seria ele o nosso inimigo maligno, ou era ele por acaso o nosso anjo da guarda? Jurei que não deixaria a cabana até saber.

Do lado de fora o sol estava se pondo e o horizonte a oeste estava em chamas escarlates e douradas. Seu reflexo era enviado de volta em manchas avermelhadas pelos charcos distantes que jaziam no meio do grande pântano de Mire. Lá estavam as duas torres do Solar Baskerville, e lá uma mancha distante de fumaça que marcava a aldeia de Grimpen. Entre as duas, atrás da colina, estava a casa dos Stapletons. Tudo era bonito, suave e tranquilo à luz dourada da noitinha, e contudo quando eu olhava para eles minha alma não partilhava em nada da paz da natureza, mas tremia diante da incerteza e do terror daquela entrevista que a cada instante estava se aproximando mais. Com os nervos vibrando, mas com um firme propósito, sentei-me no recesso escuro da cabana e esperei com paciência sombria a chegada do seu morador.

E então ouvi-o finalmente. De longe veio o ruído vivo de uma bota batendo numa pedra. Depois outro e ainda outro, chegando cada vez mais perto. Encolhi-me no canto mais escuro e engatilhei a pistola em meu bolso, resolvido a não me revelar até ter a oportunidade de ver alguma coisa do estranho. Houve uma longa pausa que mostrou que ele havia parado. Depois mais uma vez os passos se aproximaram e uma sombra caiu atravessada na abertura da cabana.

– Está uma noite encantadora, meu caro Watson – disse uma voz muito conhecida. – Acho realmente que você ficará mais confortável fora do que dentro.

XII

Morte na charneca

Por um momento ou dois fiquei sentado sem respirar, dificilmente capaz de crer nos meus ouvidos. Depois, meus sentidos e minha voz voltaram, enquanto um peso esmagador de responsabilidade pareceu num instante ter sido erguido da minha alma. Aquela voz fria, incisiva e irônica não podia pertencer senão a um homem em todo o mundo.

– Holmes! – exclamei. – Holmes!

– Saia – disse ele – e por favor tenha cuidado com o revólver.

Abaixei-me sob a verga grosseira e lá estava ele sentado sobre uma pedra do lado de fora com os olhos cinzentos dançando divertidos ao caírem sobre as minhas feições espantadas. Ele estava magro e cansado, mas sereno e alerta, com o seu rosto agudo bronzeado pelo sol e maltratado pelo vento. Com o terno axadrezado e boné de pano, parecia qualquer outro turista sobre a charneca, e havia conseguido, com aquele amor felino pela limpeza pessoal que era uma de suas características, que o seu queixo ficasse tão liso e sua roupa branca tão perfeita como se estivesse na Baker Street.

– Nunca fiquei mais satisfeito de ver alguém em minha vida – disse eu ao apertar-lhe a mão.

– Ou mais espantado, hein?

– Bem, devo confessar que sim.

– A surpresa não foi toda de um lado só, garanto-lhe. Não tinha nenhuma ideia de que você havia encontrado o meu retiro ocasional, menos ainda que você estivesse dentro dele, até eu chegar a vinte passos da porta.

– A marca dos meus pés, suponho?

– Não, Watson; receio não poder reconhecer a marca dos seus pés entre todas as marcas de pés do mundo. Se você desejar seriamente me enganar deve mudar de charutaria, porque quando vejo a ponta de um cigarro marcada Bradley, Oxford Street, sei que o meu amigo Watson está nas vizinhanças. Você a verá lá ao lado do caminho. Você jogou-a fora, sem dúvida, naquele momento supremo em que investiu para dentro da cabana vazia.

– Exatamente.

– Foi o que pensei, e conhecendo a sua tenacidade admirável fiquei convencido de que você estava sentado de tocaia, com uma arma ao seu alcance, esperando que o morador voltasse. Então você pensou realmente que eu fosse o criminoso?

– Eu não sabia quem era, mas estava resolvido a descobrir.

– Excelente, Watson! E como você me localizou? Você me viu, talvez, na noite da caçada ao condenado, quando fui tão imprudente a ponto de permitir que a lua se erguesse por trás de mim?

– Sim, eu o vi então.

E sem dúvida revistou todas as cabanas até chegar a esta.

– Não, o seu menino foi observado, e isso me deu uma orientação de onde procurar.

– O velho cavalheiro com o telescópio, sem dúvida. Na primeira vez não pude entender quando vi a luz brilhando nas lentes.

Ele se levantou e olhou para dentro da cabana:

– Ali, vejo que Cartwright trouxe alguns suprimentos. O que é este papel? Então você esteve em Coombe Tracey, não esteve?

– Estive.

– Para ver a Sra. Laura Lyons?

– Exatamente.

– Muito bem! Nossas pesquisas têm corrido evidentemente em linhas paralelas, e quando unirmos os nossos resultados, teremos um conhecimento razoavelmente completo do caso.

– Estou satisfeito do fundo do coração de você estar aqui, porque realmente a responsabilidade e o mistério estavam ambos se tornando demais para os meus nervos. Mas como, em nome de que milagre você veio aqui. E o que você tem feito? Pensei que você estivesse em Baker Street trabalhando naquele caso de chantagem.

– Isso foi o que eu quis que você pensasse.

– Então você me usou e apesar disso não confia em mim! – exclamei com alguma amargura. – Acho que mereço melhor tratamento em suas mãos, Holmes.

– Meu caro amigo, você tem sido inestimável para mim neste e em muitos outros casos, e peço-lhe que me perdoe se pareci fazer um truque com você. Na verdade, foi em parte para seu próprio bem que fiz isso, e foi a minha avaliação do perigo que você corria que me levou a vir aqui e examinar a questão por mim mesmo. Se eu estivesse com Sir Henry e você, é certo que o meu ponto de vista teria sido o mesmo que o seu, e minha presença teria prevenido os nossos adversários muito formidáveis para ficarem em guarda. Como está, pude andar por aí como provavelmente não poderia ter feito se estivesse morando na mansão, e continuo um fator desconhecido no negócio, pronto a lançar todo o meu peso num momento crítico.

– Mas por que se esconder de mim?

– Porque se você soubesse, não podia ter-me ajudado, e podia provavelmente ter levado à minha descoberta. Você poderia querer me contar alguma coisa, ou em sua bondade teria me trazido um ou outro conforto, e assim correríamos um risco desnecessário. Trouxe Cartwright comigo para cá, você se lembra do sujeito baixinho do escritório do Expresso, e ele tem cuidado dos meus desejos simples: um pedaço de pão e um colarinho limpo. O que um homem quer mais? Ele me proporcionou um par de olhos extra sobre um par de pés muito ativo, e ambos têm sido inestimáveis.

– Então meus relatórios têm sido desperdiçados! – minha voz tremeu quando me lembrei das dificuldades e do orgulho com que os havia redigido.

Holmes tirou um maço de papéis do bolso.

– Aqui estão os seus relatórios, meu caro amigo, e bastante manuseados, garanto-lhe. Tomei medidas excelentes, e eles se atrasam apenas um dia em seu caminho. Devo cumprimentá-lo calorosamente pelo zelo e a inteligência que você demonstrou num caso incrivelmente difícil.

Eu estava bastante magoado pelo logro que havia sido praticado comigo, mas o carinho do elogio de Holmes afastou a raiva da minha mente. Senti também no meu íntimo que ele tinha razão no que dissera e que era realmente melhor para o nosso propósito que eu não soubesse que ele estava na charneca.

– Assim é melhor – disse ele vendo a sombra desaparecer do meu rosto. – E agora conte-me o resultado da sua visita à Sra. Laura Lyons. Imagino que foi para vê-la, porque sei que ela é a única pessoa em Coombe Tracey que pode nos ajudar na questão. Na verdade, se você não tivesse ido hoje, é muito provável que eu fosse amanhã.

O sol havia se posto e o crepúsculo estava caindo sobre a charneca. O ar esfriara e nós entramos na cabana para nos esquentar. Lá, sentados juntos à meia-luz, contei a Holmes a minha conversa com a dama. Tão interessado estava ele que tive de repetir uma parte dela duas vezes antes de ele se dar por satisfeito.

– Isso é muito importante – disse ele quando eu havia concluído. – Preenche uma lacuna que eu tinha sido incapaz de transpor neste caso muito complexo. Você sabe, talvez, que existe uma grande intimidade entre essa dama e Stapleton?

– Eu não sabia da grande intimidade.

– Não pode haver nenhuma dúvida a respeito disso. Eles se encontram, eles se escrevem, há um entendimento completo entre eles. Agora isso coloca uma arma muito poderosa em nossas mãos. Se eu pudesse usá-la pelo menos para afastar sua mulher...

– Sua mulher?

– Estou dando a você uma informação, em troca de todas que você me deu. A dama que tem passado até aqui por Senhorita Stapleton é na realidade mulher dele.

– Santo Deus, Holmes! Está certo do que está dizendo? Como pode ele ter permitido que Sir Henry se apaixonasse por ela?

– O fato de Sir Henry se apaixonar não podia fazer mal a ninguém exceto a Sir Henry. Ele cuidou especialmente para que Sir Henry não tivesse relações com ela, como você mesmo observou. Repito que a dama é sua mulher e não sua irmã.

– Mas por que essa farsa?

– Porque ele previu que ela seria muito mais útil para ele no papel de uma mulher livre.

Todos os meus instintos não articulados, minhas desconfianças vagas, tomaram subitamente e se concentraram no naturalista. Naquele homem impulsivo, pálido, com chapéu de palha e sua rede de borboletas. Vi alguma coisa terrível, uma criatura de paciência e astúcia infinitas, com um rosto sorridente e um coração assassino.

– É ele, então, que é o nosso inimigo, foi ele que nos seguiu em Londres?

– Foi o enigma que decifrei.

– E o aviso, deve ter vindo dela!

– Exatamente.

A forma de alguma vilania monstruosa, entrevista meio imaginada, avultou através da escuridão que havia me rodeado por tanto tempo.

– Mas você está certo disso, Holmes? Como você sabe que a mulher é casada com ele?

– Porque ele até agora se esqueceu de contar a você um trecho verdadeiro da autobiografia por ocasião do primeiro encontro com você, e arrisco-me a dizer que se arrependeu disso muitas vezes. Certa vez ele foi diretor de um colégio no norte da Inglaterra. E não há ninguém mais fácil de se seguir a pista do que um diretor de colégio. Há agências especializadas em educação pelas quais se pode identificar qualquer homem que tenha estado na profissão. Uma pequena investigação mostrou-me que um colégio sofrera um fracasso em circunstâncias atrozes, e que o homem que era dono dele, o nome era peculiar, havia desaparecido com a mulher. As descrições coincidem. Quando eu soube que o homem desaparecido era dedicado à entomologia, a identificação ficou completa.

A escuridão estava diminuindo, mas muita coisa ainda estava escondida pelas sombras.

– Se essa mulher é realmente casada com ele, onde entra a Sra. Laura Lyons? – perguntei.

– Esse é um dos pontos sobre o qual as suas próprias pesquisas lançaram uma luz. A sua entrevista com a dama esclareceu muito a situação. Eu não sabia sobre o projetado divórcio entre ela e seu marido. Nesse caso, considerando Stapleton como um homem livre, ela contava sem dúvida em se tornar mulher dele.

– E quando ela abrir os olhos?

– Ora, então podemos encontrar uma dama prestativa. Deve ser o nosso primeiro dever vê-la, nós dois, amanhã. Você não acha, Watson, que está longe do seu pupilo há bastante tempo? O seu lugar deve ser no Solar Baskerville.

As últimas riscas vermelhas haviam desaparecido a oeste e a noite havia caído sobre a charneca. Algumas estrelas desbotadas estavam brilhando num céu violeta.

– Uma última pergunta, Holmes – disse eu ao me levantar. – Certamente não há nenhuma necessidade de segredo entre eu e você. Qual é o significado disso tudo? O que procura ele?

A voz de Holmes abaixou quando respondeu.

– É assassinato, Watson, refinado, a sangue-frio, assassinato deliberado. Não me pergunte detalhes. Minhas redes estão se fechando sobre ele, assim como as dele estão sobre Sir Henry, e com a sua ajuda ele já está quase à minha mercê. Não há senão um perigo que pode nos ameaçar: ele atacar antes de estarmos prontos para fazê-lo. Mais um dia, dois no máximo, e tenho o meu caso completo, mas até então cuide do seu pupilo tão de perto como uma mãe extremosa vigiou alguma vez o seu filho doente. A sua missão hoje justificou-se por si mesma, e apesar disso quase cheguei a desejar que você não tivesse saído do lado dele. Volte!

Um grito horrível, um brado de horror e angústia, explodiu no silêncio da charneca. Esse grito medonho transformou o sangue em gelo em minhas veias.

– Oh, meu Deus! – disse eu ofegante. – O que é isso? O que significa isso?

Holmes havia ficado de pé num salto, e vi o seu vulto escuro e atlético na porta da cabana, com os ombros abaixados, a cabeça projetada para a frente e o rosto perscrutando a escuridão.

– Silêncio! – cochichou ele. – Silêncio!

O grito havia sido alto devido à sua veemência, mas havia ressoado de algum lugar afastado na planície escura. Agora explodiu nos nossos ouvidos, mais perto, mais alto, mais urgente do que antes.

– Onde está ele? – cochichou Holmes, e eu vi pela excitação da sua voz que ele, o homem de ferro, estava abalado até a alma. – Onde está ele, Watson?

– Lá, acho eu – apontei para a escuridão.

– Não, lá!

Novamente o grito de agonia passou pela noite silenciosa, mais alto e muito mais perto do que nunca. E um novo som misturou-se com ele, um troar sussurrado, profundo, musical e apesar disso ameaçador, aumentando e diminuindo como o murmúrio baixo e constante do mar.

– O cão! – exclamou Holmes. – Venha, Watson, venha! Deus nos livre de chegarmos tarde demais!

Ele tinha começado a correr rapidamente pela charneca, e eu havia seguido os seus calcanhares. Mas agora de alguma parte por entre o terreno irregular imediatamente à nossa frente veio um último grito desesperado e depois uma pancada forte e ensurdecedora. Nós paramos e ficamos ouvindo. Nenhum outro som rompeu o silêncio pesado da noite sem vento.

Vi Holmes pôr a mão na testa como um homem distraído. Ele bateu com os pés no chão.

– Ele chegou antes de nós, Watson. Estamos atrasados demais.

– Não, não, certamente não!

– Que tolo fui em me conter. E você, Watson, veja no que dá abandonar o seu pupilo! Mas, por Deus, se o pior aconteceu, nós o vingaremos!

Corremos cegamente pela escuridão, esbarrando contra pedras, forçando o nosso caminho através de moitas de tojo. Subimos as colinas ofegantes e descemos encostas correndo, indo sempre na direção de onde aqueles sons horríveis saíram. Em cada elevação Holmes olhava em volta ansiosamente, mas as sombras eram espessas sobre a charneca e nada se movia na sua superfície erma.

– Você pode ver alguma coisa?

– Nada.

– Mas, puxa, o que é aquilo?

Um gemido baixo havia chegado aos nossos ouvidos. Lá estava ele novamente à nossa esquerda! Nesse lado uma crista de rochas terminava numa escarpa vertical que dominava uma encosta juncada de pedras. Na sua superfície desigual estava esparramado um objeto escuro, irregular. Quando corremos na direção dele, o contorno vago assumiu uma forma definida. Era um homem prostrado de bruços sobre o chão, com a cabeça dobrada sob ele num ângulo horrível, os ombros redondos, e o corpo encolhido como se estivesse no ato de dar um salto mortal. Tão grotesca era a atitude que não pude perceber no momento que aquele gemido tinha sido a entrega da sua alma. Nem um sussurro, nem um farfalhar, erguia-se agora do vulto escuro sobre o qual nos abaixamos. Holmes pôs sua mão sobre ele e levantou-a novamente com uma exclamação de horror. A chama do fósforo que ele riscou brilhou sobre os seus dedos empastados e sobre a poça horrível que se ampliava lentamente do crânio esmagado da vítima. E brilhou sobre mais alguma coisa que deixou as nossas entranhas reviradas e desfalecidas dentro de nós: o corpo de Sir Henry Baskerville.

Não havia nenhuma possibilidade de qualquer de nós esquecer aquele terno peculiar de xadrez avermelhado, o mesmo que ele havia usado na primeira manhã em que o havíamos visto na Baker Street. Tivemos um único vislumbre dele, e depois o fósforo piscou e se apagou, ao mesmo tempo em que a esperança havia desertado de nossas almas. Holmes gemeu e seu rosto pálido brilhava na escuridão.

– O animal! O animal! – exclamei com os punhos cerrados. – Oh, Holmes, nunca me perdoarei por tê-lo deixado entregue à sua sorte.

– A culpa é mais minha do que sua, Watson. A fim de ter o meu caso bem esclarecido e completo, desperdicei a vida do meu cliente. Esse é o maior golpe que recaiu sobre mim em minha carreira. Mas como podia saber, como podia saber, que ele arriscaria a sua vida sozinho na charneca apesar de todos os meus avisos?

– O fato de termos ouvido os gritos dele, meu Deus, aqueles gritos, e apesar disso sermos incapazes de salvá-lo! Onde está este cão feroz que o levou à morte? Ele pode estar escondido entre estas rochas neste instante. E Stapleton, onde está ele? Ele responderá por isto.

– Vai responder. Cuidarei disso. Tio e sobrinho foram assassinados, o primeiro assustado até morrer pela própria visão de uma fera que pensava ser sobrenatural, o outro levado ao fim em sua fuga louca para fugir dela. Mas agora temos que provar a relação entre o homem e a fera. Exceto pelo que ouvimos, não podemos jurar sequer quanto à existência da última, já que Sir Henry morreu evidentemente da queda. Mas, por Deus, o sujeito estará em meu poder antes de outro dia terminar!

Ficamos de pé com os corações amargurados dos dois lados do corpo desfigurado, esmagados por esse desastre súbito e irrevogável que havia levado todos os nossos esforços longos e cansativos a um fim tão lamentável. Depois quando a lua se ergueu subimos até o alto das rochas de cima das quais o nosso pobre amigo havia caído, e do cume contemplamos a charneca escura, meio prata e meio sombras. Ao longe, a quilômetros de distância, na direção de Grimpen, uma luz amarela firme e isolada estava brilhando. Ela só podia vir da casa retirada dos Stapleton. Com uma praga amarga sacudi meu punho para ela enquanto olhava.

– Por que não podemos pegá-lo imediatamente?

– O nosso caso não está completo. O sujeito é desconfiado e astuto até o último grau. Não se trata do que nós sabemos, mas do que podemos provar. Se fizermos um movimento em falso, o vilão ainda pode nos escapar.

– O que podemos fazer?

– Haverá bastante o que fazer para nós amanhã. Esta noite só podemos realizar os últimos ritos para o nosso pobre amigo.

Juntos descemos a encosta escarpada e nos aproximamos do corpo, negro e claro contra as pedras prateadas. A agonia daquelas pernas contorcidas; deram-me um espasmo de dor e encheram meus olhos de lágrimas.

– Temos que pedir ajuda, Holmes! Nós não podemos carregá-lo a distância toda até o solar... Santo Deus, você está louco?

Ele havia soltado um grito e se inclinado sobre o corpo. Agora estava dançando, rindo e apertando a minha mão. Poderia esse ser o meu amigo sério e retraído? Esses eram fogos escondidos, realmente!

– Uma barba! Uma barba! O homem tem uma barba!

– Uma barba?

– Não é o baronete, é, ora, é o meu vizinho, o condenado!

Com pressa febril viramos o corpo de frente, e aquela barba gotejante estava apontada para a lua fria e clara no alto. Não podia haver nenhuma dúvida quanto à testa saliente e aos olhos afundados de animal. Era, realmente, o mesmo rosto que havia olhado ferozmente para mim à luz da vela de cima da pedra, o rosto de Selden, o criminoso.

Depois, num instante, tudo tornou-se claro para mim. Lembrei-me de como o baronete havia me contado que dera o seu velho guarda-roupa a Barrymore. Este o havia passado adiante a fim de ajudar Selden em sua fuga. Botas, camisa, boné, era tudo de Sir Henry. A tragédia ainda era bastante negra, mas esse homem havia pelo menos merecido a morte pelas leis do seu país. Contei a Holmes como estavam as coisas, com o meu coração borbulhando de gratidão e alegria.

– Então as roupas tinham causado a morte do pobre diabo – disse ele. – E evidente que o cão foi lançado na pista de algum objeto de Sir Henry, a bota que foi surrupiada do hotel, com toda a probabilidade, e assim descobriu este homem. Há uma coisa muito singular, contudo: como foi que Selden, no escuro, veio a saber que o cão estava em sua pista?

– Ele o ouviu.

– Ouvir um cão na charneca não induziria um homem duro como este condenado a esse paroxismo de terror a ponto de arriscar a recaptura gritando desesperadamente por socorro. Pelos seus gritos ele deve ter corrido uma longa distância após saber que o animal estava na sua pista. Como ele soube?

– Um mistério maior para mim é por que esse cão, supondo que todas as nossas conjeturas estejam corretas...

– Eu não suponho nada.

– Então, por que esse cão devia estar solto esta noite? Suponho que nem sempre ele corra solto pela charneca. Stapleton não o deixaria ir a menos que tivesse motivos para pensar que Sir Henry estivesse lá.

– Minha dificuldade é a mais formidável das duas, porque eu acho que teremos muito depressa uma explicação da sua, ao passo que a minha pode permanecer para sempre um mistério. A questão agora é, o que devemos fazer com o corpo deste pobre diabo? Não podemos deixá-lo aqui para as raposas e os corvos.

– Sugiro que o coloquemos dentro de uma das cabanas até podermos nos comunicar com a polícia.

– Exatamente. Não tenho nenhuma dúvida de que você e eu possamos carregá-lo até lá. Ora, Watson, o que é isto? É o próprio homem, por tudo que é maravilhoso e audacioso! Nem uma palavra que revele as suas suspeitas, nem uma palavra, ou meus planos se desmoronam no chão.

Um vulto estava se aproximando de nós pela charneca, e eu vi o brilho vermelho fraco de um charuto. A luz brilhava sobre ele, e pude distinguir a forma agitada e o andar lépido do naturalista. Ele parou quando nos viu, e depois avançou novamente.

– Ora, Dr. Watson, não é o senhor, é? O senhor é o último homem que eu teria esperado ver aqui na charneca a essa hora da noite. Mas, meu Deus, o que é isso? Alguém ferido? Não, não me diga que é o nosso amigo Sir Henry! – Ele passou por mim depressa e abaixou-se sobre o homem morto. Ouvi uma aspiração viva e o charuto caiu dos seus dedos.

– Quem... que é esse? – gaguejou ele.

– É Selden, o homem que fugiu de Princetown.

Stapleton nos olhou com uma cara, mas por um esforço supremo havia superado o seu espanto e o seu desapontamento. Ele olhou vivamente de Holmes para mim.

– Meus Deus! Que caso mais chocante! Como foi que ele morreu?

– Parece que partiu o pescoço caindo sobre estas pedras. Meu amigo e eu estávamos passeando pela charneca quando ouvimos um grito.

– Eu ouvi um grito, também. Foi isso que me fez sair. Eu estava inquieto quanto a Sir Henry.

– Por que sobre Sir Henry em particular? – não pude deixar de perguntar.

– Porque eu havia sugerido que ele viesse. Quando não veio, fiquei surpreso e naturalmente preocupado pela sua segurança quando ouvi gritos na charneca. A propósito, – seus olhos desviaram-se outra vez do meu rosto para Holmes – o senhor ouviu mais alguma coisa além de um grito?

– Não – disse Holmes. – O senhor ouviu?

– Não.

– O que quer dizer, então?

– Oh, o senhor conhece as histórias que os camponeses contam sobre um cão fantasma, e assim por diante. Dizem que o ouvem à noite na charneca. Eu estava imaginando se havia alguma prova desse som esta noite.

– Nós não ouvimos nada desse tipo – disse eu.

– E qual é a sua teoria sobre a morte desse pobre homem?

– Não tenho nenhuma dúvida de que a ansiedade e o abandono o fizeram perder o juízo. Ele correu pela charneca num estado de loucura e finalmente caiu aqui e partiu o pescoço.

– Essa parece a teoria mais razoável – disse Stapleton, e soltou um suspiro que julguei indicar seu alívio. – O que o senhor acha disso, Sr. Sherlock Holmes?

Meu amigo inclinou-se agradecendo.

– O senhor é rápido na identificação – disse ele.

– Estivemos à sua espera nestas partes desde que o Dr. Watson chegou. O senhor chegou a tempo de ver uma tragédia.

– Sim, realmente. Não tenho nenhuma dúvida de que a explicação do meu amigo cobre os fatos. Vou levar uma lembrança desagradável de volta para Londres comigo amanhã.

– O senhor volta amanhã?

– Essa é a minha intenção.

– Espero que sua visita tenha lançado alguma luz sobre essas ocorrências que têm nos confundido?

Holmes encolheu os ombros.

– Não se pode ter sempre o sucesso que se espera. Um investigador precisa de fatos, e não de lendas ou rumores. Não foi um caso satisfatório.

Meu amigo falou da sua maneira mais franca e despreocupada. Stapleton ainda olhava fixamente para ele. Depois virou-se para mim.

– Eu sugeriria levar esse pobre sujeito para minha casa, mas isso daria tanto medo à minha irmã que não me sinto confortável em fazer isso. Acho que se pusséssemos alguma coisa sobre o seu rosto, ele ficará em segurança até de manhã.

E assim fizemos. Resistindo à oferta de hospitalidade de Stapleton, Holmes e eu partimos para o Solar Baskerville, deixando que o naturalista voltasse sozinho. Olhando para trás, vimos o vulto afastando-se lentamente pela ampla charneca, e atrás dele aquela mancha preta sobre a encosta prateada que mostrava onde estava caído o homem que chegara ao seu fim tão horrivelmente.

XIII

Armando as redes

– Estamos engajados afinal! – disse Holmes quando caminhávamos juntos pela charneca. Que atrevimento o sujeito tem! Como ele se recompôs diante do que deve ter sido um choque paralisador quando descobriu que o homem errado fora a vítima da sua trama. Eu disse a você em Londres, Watson, e digo-lhe agora outra vez, que nunca tivemos um inimigo mais digno da nossa determinação.

– Lamento ele ter visto você.

– Eu também, a princípio. Mas não havia meio de evitar isso.

– Que efeito você acha que terá sobre os seus planos, agora que ele sabe que você está aqui?

– Pode fazer com que ele fique mais cuidadoso, ou pode levá-lo imediatamente a medidas desesperadas. Como muitos criminosos espertos, ele pode confiar demais na sua própria esperteza e imaginar que nos enganou completamente.

– Por que não o prendemos imediatamente?

– Meu caro Watson, você nasceu para ser um homem de ação. O seu instinto é sempre fazer alguma coisa enérgica. Mas supondo, só para argumentar, que mandemos prendê-lo esta noite, como diabos ficaremos melhor por causa disso? Não podemos provar nada contra ele. Essa é a astúcia diabólica da coisa! Se ele estivesse atuando através de um agente humano, podíamos obter alguma prova, mas se tivermos que arrastar esse cachorrão para a luz do dia, isso não nos ajudará a colocar uma corda em volta do pescoço do seu dono.

– Certamente temos um caso.

– Nem a sombra de um, apenas suspeitas e conjeturas. Podem nos dispensar do tribunal às gargalhadas se formos com essa história e essas provas.

– Há a morte de Sir Charles.

– Encontrado morto sem uma marca no corpo. Você e eu sabemos que ele morreu de puro medo, e sabemos também o que o assustou; mas como vamos fazer com que doze jurados impassíveis acreditem nisso? Que sinais há de um cão? Onde estão as marcas dos seus dentes? Naturalmente, sabemos que um cão não morde um corpo morto e que Sir Charles estava morto antes sequer do animal alcançá-lo. Mas temos que provar tudo isso, e não estamos em condições de fazer isso.

– Então, esta noite?

– Não estamos muito melhor esta noite. Novamente, não há nenhuma relação direta entre o cão e a morte do homem. Nós nem vimos o cão. Nós o ouvimos, mas não podemos provar que ele estava correndo na pista desse homem. Há uma ausência completa de motivo. Não, meu caro amigo; temos que nos conformar com o fato de que não temos nenhum caso atualmente, e que vale a pena corrermos qualquer risco a fim de estabelecer um.

– E como você se propõe a fazer isso?

– Eu tenho grandes esperanças no que a Sra. Laura Lyons possa fazer por nós quando a situação for tomada clara para ela. E tenho o meu próprio plano também. Suficiente para amanhã é o mal dele; mas espero finalmente estar em posição vantajosa antes do dia terminar.

Não consegui saber mais nada dele, e ele caminhou, perdido nos seus pensamentos, até os portões do Solar Baskerville.

– Você vai entrar?

– Sim. Não vejo motivo para me esconder mais. Mas uma última palavra, Watson. Não diga nada sobre o cão a Sir Henry. Deixe-o pensar que a morte de Selden foi como Stapleton queria que acreditássemos. Ele terá maior coragem para a provação que terá que sofrer amanhã, quando está convidado, se me lembro corretamente do seu relatório, para jantar com essas pessoas.

– E eu também.

– Então você deve se desculpar e ele tem que ir sozinho. Isso será conseguido com facilidade. E agora, se estamos atrasados demais para jantar, acho que estamos ambos prontos para as nossas ceias.

Sir Henry ficou mais satisfeito do que surpreso ao ver Sherlock Holmes, porque estivera esperando por alguns dias que os acontecimentos recentes o trariam de Londres. Ergueu as sobrancelhas, contudo, quando descobriu que o meu amigo não tinha nenhuma bagagem nem qualquer explicação para a sua ausência. Entre nós atendemos logo as suas necessidades, e depois sobre uma ceia tardia explicamos ao baronete o suficiente da nossa experiência que pareceu desejável que ele soubesse. Mas primeiro tive o desagradável dever de dar a notícia a Barrymore e sua mulher. Para ele isso pode ter sido um alívio completo, mas ela chorou amargamente em seu avental. Para todo mundo, ele era o homem violento, meio animal e meio demônio, mas para ela permaneceu sempre o pequeno menino teimoso da sua própria infância, a criança que segurara em sua mão. Mau realmente é o homem que não tem uma mulher para pranteá-lo.

– Estive me aborrecendo em casa o dia inteiro desde que Watson saiu de manhã – disse o baronete. – Acho que mereço algum crédito, porque mantive minha promessa. Se eu não tivesse jurado não sair sozinho podia ter tido uma noite mais animada, porque recebi um recado de Stapleton convidando-me para ir lá.

– Não tenho nenhuma dúvida de que o senhor teria tido uma noite mais animada – disse Holmes secamente. – A propósito, suponho que o senhor não apreciasse termos estado pranteando sobre o seu corpo com o pescoço partido?

Sir Henry abriu os olhos:

– Como foi isso?

– Esse pobre desgraçado estava vestido com as suas roupas. Receio que seu empregado que as deu a ele possa ter problemas com a polícia.

– Isto é pouco provável. Não havia nenhuma marca em nenhuma delas, pelo que sei.

– Isso é sorte dele; na verdade, é sorte para vocês todos, já que todos vocês estão do lado errado da lei nesta questão. Estou certo de que, como um detetive consciencioso, meu primeiro dever seja prender todos os que moram na casa. Os relatórios de Watson são documentos muito incriminadores.

– O senhor conseguiu desvendar alguma coisa? Sei que Watson e eu não sabemos muito mais desde que viemos para cá.

– Acho que estarei em condições de tomar a situação bastante mais clara para o senhor brevemente. Tem sido um caso excessivamente difícil e muito complicado. Há vários pontos sobre os quais ainda precisamos de esclarecimentos, mas esses estão chegando da mesma forma.

– Tivemos uma experiência, como Watson sem dúvida contou ao senhor. Ouvimos o cão na charneca, portanto posso jurar que nem tudo é uma superstição vazia. Lidei um pouco com cães quando estava no Oeste, e conheço um quando ouço. Se o senhor puder amordaçar esse e pô-lo numa corrente, estarei pronto a jurar que o senhor é o maior detetive de todos os tempos.

– Acho que o amordaçarei e o porei numa corrente se o senhor me der a sua ajuda.

– O que o senhor me disser para fazer, eu farei.

– Muito bem; e vou lhe também para fazer isso cegamente, sem perguntar sempre o motivo.

– Como quiser.

– Se o fizer, creio que teremos chance de resolver nosso probleminha em breve. Não tenho dúvida…

Parou de repente, os olhos fixos no ar por sobre a minha cabeça. A luz batia sobre seu rosto e este estava tão atento que poderia ter sido o de uma estátua clássica bem delineada, uma personificação da vigilância e da expectativa.

– Que foi? – perguntamos os dois.

Pude ver, quando baixou os olhos, que reprimia uma forte emoção. Seus traços ainda estavam controlados, mas os olhos brilhavam com divertido júbilo.

– Desculpem a admiração de um especialista – disse ele, apontando a linha de retratos que cobria a parede oposta. – Watson não admite que eu conheça nada de arte, mas isso é pura inveja, porque nossos gostos sobre o assunto diferem. Ora, essa é realmente uma belíssima série de retratos.

– Alegra-me ouvi-lo dizer isso – disse Sir Henry, olhando de relance para meu amigo, com certa surpresa. – Não pretendo saber muito sobre essas coisas, e saberia julgar melhor um cavalo ou um bezerro que uma pintura. Não sabia que encontrava tempo para essas coisas.

– Sei o que é bom quando vejo, e estou vendo agora. Aquele é um Kneller, posso jurar, a dama com vestido de seda azul lá adiante, e o cavalheiro robusto de peruca deve ser um Reynolds. São todos retratos de família, presumo.

– Todos.

– Sabe os nomes?

– Barrymore andou me instruindo sobre eles, e acho que posso recitar minhas lições bastante bem.

– Quem é o cavalheiro com a luneta?

– Aquele é o contra-almirante Baskerville, que serviu sob Rodney nas Índias Ocidentais. O homem de paletó azul e com o rolo de papel é Sir William Baskerville, que foi presidente das sessões conjuntas da Câmara dos Comuns sob Pitt.

– E e aquele com o veludo preto e o rufo?

– Ah, você tem o direito de saber sobre ele. Essa é a causa de todo o mal, o perverso Hugo, que provocou o surgimento do Cão dos Baskerville. Provavelmente não o esqueceremos.

Contemplei o retrato com interesse e alguma surpresa.

– Meu Deus! – disse Holmes. – Parece um homem tranquilo, de maneiras sossegadas, mas creio que havia um demônio escondido em seus olhos. Eu o imaginava um sujeito mais robusto, valentão.

– Não há nenhuma dúvida quanto à autenticidade, pois o nome e a data, 1647, estão atrás da tela.

Holmes pouco falou além disso, mas a pintura do velho fanfarrão parecia exercer um fascínio sobre ele, e seus olhos a fixaram continuamente durante a ceia. Só mais tarde, quando Sir Henry fora para o quarto, pude seguir o fio de seus pensamentos. Ele me levou de volta ao salão de banquetes, vela na mão, e segurou-a contra o retrato manchado pelo tempo na parede.

– Vê alguma coisa ali?

Olhei para o chapelão emplumado, os apliques encaracolados, a gola de renda branca, emoldurando um semblante honesto e severo. Não era uma expressão brutal, mas afetada, dura e austera, com uma boca decidida, de lábios finos, e um olhar friamente intolerante.

– Parece com alguém que você conhece?

– Há alguma coisa de Sir Henry no queixo.

– Só uma sugestão, talvez. Mas espere um instante!

Subiu numa cadeira e, segurando a vela na mão esquerda, dobrou o braço direito sobre o amplo chapéu e em torno dos compridos cachos.

– Valha-me Deus! – exclamei, espantado.

O rosto de Stapleton havia saltado da tela.

– Ah, agora você percebe. Meus olhos foram treinados para examinar rostos, não seus atavios. A primeira qualidade de um investigador criminal é ser capaz de ver através de um disfarce.

– Mas isso é maravilhoso. Poderia ser o retrato dele.

– Sim, é um interessante caso de atavismo, que parece ser tanto físico quanto espiritual. Um estudo de retratos de família é suficiente para converter um homem à doutrina da reencarnação. O sujeito é um Baskerville... isso é evidente.

– Com interesses na sucessão.

– Exatamente. Este acaso da pintura nos fornece um de nossos mais óbvios elos perdidos. Ele está em nossas mãos, Watson, em nossas mãos, e juro que antes da noite de amanhã estará se debatendo em nossa rede, tão impotente quanto uma de suas borboletas. Um alfinete, uma rolha e um cartão, e nós o acrescentaremos à coleção de Baker Street!

Ao se desviar da pintura, explodiu num de seus raros acessos de riso. Não o ouvi rir muitas vezes, e isso era sempre de mau agouro para alguém.

Acordei em boa hora de manhã, mas Holmes se levantara ainda mais cedo, pois o vi vestido subindo pelo caminho.

– Sim, teremos um dia cheio hoje, observou ele – e esfregou as mãos com a alegria da ação.--"As redes estão todas em posição e o arrastão está prestes a começar. Antes que o dia termine, saberemos se pegamos nosso grande lúcio de queixo pequeno, ou se ele conseguiu escapar por entre as malhas.

– Já esteve na charneca?

– Enviei um relatório de Grimpen para Princetown sobre a morte de Selden. Acho que posso prometer que nenhum de vocês dois será incomodado em razão desse assunto. E comuniquei-me também com meu fiel Cartwright, que certamente teria se consumido na porta de minha cabana, como um cão no túmulo do dono, se eu não o tivesse tranquilizado quanto à minha segurança.

– Qual é o próximo passo?

– Ver Sir Henry. Ah, aqui está ele!

– Bom dia, Holmes, – disse o baronete. – você parece um general planejando uma batalha com o chefe do seu estado-maior.

– Essa é exatamente a situação. Watson estava pedindo minhas ordens.

– O mesmo faço eu.

– Muito bem. Você prometeu, pelo que sei, jantar com nossos amigos, os Stapleton, esta noite.

– Espero que vá também. São pessoas muito hospitaleiras e tenho certeza de que gostariam de vê-lo.

– Watson e eu devemos ir para Londres.

– Londres?

– Sim, creio que poderíamos ser mais úteis lá na atual conjuntura.

O baronete ficou visivelmente decepcionado.

– Esperava que fossem me ajudar a finalizar este caso. O solar e a charneca não são lugares muito agradáveis quando se está sozinho.

– Meu caro amigo, deve confiar tacitamente em mim e seguir à risca as minhas instruções. Pode dizer aos seus amigos que teríamos ficado felizes em acompanhá-lo, mas negócios urgentes exigiram nossa presença na cidade. Esperamos voltar muito em breve a Devonshire. Vai se lembrar de lhes dar este recado?

– Se insiste nisso...

– Não há alternativa, eu lhe garanto.

Pela testa anuviada do baronete, percebi que ele estava profundamente magoado pelo que via como nossa deserção.

– Quando deseja ir? – perguntou friamente.

– Imediatamente após o desjejum. Iremos de carro até Coombe Tracey, mas Watson deixará suas coisas como garantia de que voltará. Watson, você enviará um bilhete para Stapleton dizendo que lamenta não poder ir.

– Gostaria muito de ir para Londres com vocês – disse o baronete. – Por que devo ficar aqui sozinho?

– Porque este é o seu posto. Porque me deu sua palavra de que faria o que eu mandasse, e eu lhe digo que fique.

– Então está bem, ficarei.

– Mais uma instrução! Quero que vá de charrete ao Solar Merripit. Mas mande-a de volta, e deixe-os saber que pretende voltar a pé para casa.

– Caminhar pela charneca?

– Sim.

– Mas é exatamente o que me aconselhou tantas vezes a não fazer!

– Desta vez pode fazê-lo em segurança. Se eu não tivesse plena confiança em sua fibra e coragem, não sugeriria isto, mas é essencial que o faça.

– Então farei.

– Se dá valor à sua vida, não ande pela charneca em nenhuma direção exceto ao longo da trilha reta que leva do Solar Merripit à estrada de Grimpen e é seu caminho natural para casa.

– Farei exatamente o que diz.

– Ótimo. Gostaria de partir assim que possível após o desjejum, de modo a chegar a Londres à tarde.

Eu estava estarrecido com esse programa, embora me lembrasse de que Holmes dissera a Stapleton na noite anterior que sua visita terminaria no dia seguinte. Não me passara pela cabeça, porém, que iria querer que eu fosse com ele, nem podia entender como poderíamos estar ambos ausentes num momento que ele mesmo declarara crítico. Não havia nada a fazer, contudo, senão obedecer tacitamente; assim, dissemos adeus ao nosso pesaroso amigo e um par de horas depois estávamos na estação de Coombe Tracey e havíamos mandado a charrete de volta. Alguém estava à nossa espera na plataforma.

– Alguma ordem, senhor?

– Você tomará este trem para a cidade, Cartwright. Assim que chegar, mandará um telegrama para Sir Henry Baskerville, em meu nome, para dizer que, caso encontre a carteira que deixei cair, deve enviá-la, registrada, para Baker Street.

– Sim, senhor.

– E pergunte no escritório da estação se há alguma mensagem para mim.

Ele voltou com um telegrama que Holmes me entregou. Ele dizia:

"Telegrama recebido. Vou com mandado não assinado. Chego cinco e cinquenta. Lestrade."

– É uma resposta ao que enviei esta manhã. Ele é o melhor dos profissionais, acredito, e podemos precisar de sua ajuda. Agora, Watson, penso que não podemos dar melhor emprego ao nosso tempo que fazendo uma visita à sua conhecida, Sra. Laura Lyons.

Seu plano de campanha começava a ficar evidente. Ele usaria o baronete para convencer os Stapleton de que realmente partíramos, ao passo que na verdade retornaríamos assim que pudéssemos ser necessários. Aquele telegrama de Londres, se mencionado por Sir Henry aos Stapleton, deveria eliminar as últimas suspeitas de suas mentes. Eu já tinha a impressão de ver nossas redes se apertando em torno daquele lúcio de queixo pequeno.

A Sra. Laura Lyons estava no escritório, e Sherlock Holmes iniciou sua entrevista com uma franqueza e objetividade que a espantaram consideravelmente.

– Estou investigando as circunstâncias que cercaram a morte do falecido Sir Charles Baskerville – disse ele. – Meu amigo aqui, o Dr. Watson, informou-me o que a senhora havia comunicado a ele, e também o que a senhora escondeu em relação a esse assunto.

– O que eu escondi? – perguntou ela desafiadoramente.

– A senhora confessou que pediu a Sir Charles para estar no portão às dez horas. Nós sabemos que esse foi o lugar e essa a hora da sua morte. A senhora escondeu qual a relação que há entre estes acontecimentos.

– Não há nenhuma relação.

– Nesse caso a coincidência deve realmente ser extraordinária. Mas acho que teremos sucesso em estabelecer uma relação afinal de contas. Desejo ser perfeitamente franco com a senhora, Sra. Laura Lyons. Consideramos este caso como assassinato, e a prova pode implicar não só o seu amigo Sr. Stapleton, corno também a mulher dele.

A dama saltou da cadeira.

– Sua mulher! – exclamou ela.

– O fato não é mais segredo. A pessoa que tem passado por irmã é na realidade sua mulher.

A Sra. Lyons havia se sentado. Suas mãos estavam agarradas aos braços da cadeira, e vi que as unhas cor-de-rosa tinham ficado brancas com a pressão.

– Sua mulher! – disse ela novamente. – Sua mulher! Ele não é casado.

Sherlock Holmes encolheu os ombros.

– Prove-me! Prove-me! E se conseguir fazer isso...

O brilho feroz dos seus olhos disse mais do que quaisquer palavras.

– Vim preparado para isso – disse Holmes tirando vários documentos do bolso. – Aqui está uma fotografia do casal tirada em York há quatro anos. Está identificada como Sr. e Sra. Vandeleur , mas a senhora não terá nenhuma dificuldade em reconhecê-lo, e a ela também, se a conhecer de vista. Aqui estão três descrições escritas de testemunhas dignas de confiança do Sr. e da Sra. Vandeleur, que nessa época tinham o colégio particular de St. Oliver. Leia-as e veja se pode duvidar da identidade dessas pessoas.

Ela olhou para elas e depois ergueu os olhos para nós com o rosto imóvel e rígido de uma mulher desesperada.

– Sr. Holmes – disse ela -, esse homem ofereceu-se para se casar comigo com a condição de eu conseguir o divórcio do meu marido. Ele mentiu para mim, o vilão, de todas as maneiras possíveis. Ele jamais me disse uma palavra verdadeira. E por que, por quê? Imaginei que tudo fosse para o meu próprio bem. Mas agora vejo que nunca fui nada senão um instrumento em suas mãos. Por que devo continuar fiel a ele que nunca foi fiel a mim? Por que devo tentar protegê-lo das consequências dos seus próprios atos iníquos? Pergunte-me o que quiser, e não esconderei nada. Uma coisa eu juro ao senhor, e essa é que quando escrevi a carta nunca sonhei em mal algum para o velho cavalheiro, que foi o meu amigo mais bondoso.

– Acredito completamente na senhora, madame – disse Sherlock Holmes. – A narração desses acontecimentos deve ser muito penosa para a senhora, e talvez eu a tome mais fácil se lhe contar o que ocorreu, e a senhora pode me corrigir se eu cometer algum engano material. O envio dessa carta foi sugerido à senhora por Stapleton?

– Ele a ditou.

– Suponho que o motivo que ele deu foi que a senhora receberia ajuda de Sir Charles para as despesas legais relativas ao seu divórcio.

– Exatamente.

– E depois de a senhora ter enviado a carta, ele convenceu-a a não comparecer ao encontro?

– Ele me disse que feriria o seu respeito próprio o fato de algum outro homem ter de dar o dinheiro com esse objetivo, e que embora ele próprio fosse um homem pobre dedicaria o seu último pêni para remover os obstáculos que nos separavam.

– Ele parece ter um caráter muito coerente. E depois a senhora não soube de mais nada até ler as notícias da morte no jornal?

– Não.

– E ele a fez jurar não contar nada sobre o seu encontro com Sir Charles?

– Fez. Ele disse que a morte foi muito misteriosa, e que certamente desconfiariam de mim se os fatos fossem revelados. Ele me assustou para eu ficar em silêncio.

– Exatamente. Mas a senhora nunca desconfiou?

Ela hesitou e baixou os olhos.

– Eu o conhecia – disse ela. – Mas se ele tivesse sido fiel a mim, eu seria sempre fiel a ele.

– Acho que no todo a senhora escapou com sorte – disse Sherlock Holmes. – A senhora o teria em seu poder e ele sabia disso, e contudo a senhora está viva. A senhora tem andado por alguns meses muito perto da beira do precipício. Devemos desejar-lhe bom dia agora, Sra. Lyons, e é provável que a senhora muito em breve tenha notícias nossas novamente.

– O nosso caso está se completando e, dificuldade após dificuldade, está se desvanecendo diante de nós – disse Holmes quando estávamos esperando a chegada do expresso da cidade. – Logo estarei em condição de poder colocar numa única narrativa articulada um dos crimes mais singulares e sensacionais dos tempos modernos. Os estudantes de criminologia irão se lembrar de incidentes análogos em Godrio, na Rússia, no ano de 66, e, naturalmente, há os assassinatos de Anderson na Carolina do Norte, mas este caso possui algumas características que são inteiramente próprias. Mesmo agora, não temos nenhuma prova clara contra esse homem astuto. Mas ficarei muito surpreso se ele não estiver bastante claro antes de irmos para a cama esta noite.

O expresso de Londres entrou resfolegando na estação, e um homem pequeno e forte parecido com um buldogue saltou de um vagão de primeira-classe. Nós três apertamos as mãos, e vi imediatamente pela maneira reverente pela qual Lestrade olhava para o meu companheiro que ele havia aprendido um bocado desde o tempo em que haviam trabalhado juntos pela primeira vez. Pude me lembrar bem do desprezo que as teorias do intelectual costumavam então excitar no homem prático.

– Alguma coisa boa? – perguntou ele.

– A coisa maior durante anos – disse Holmes. – Temos duas horas antes de precisarmos pensar em partir. Acho que devemos empregá-las jantando, e depois, Lestrade, vamos tirar a cerração de Londres da sua garganta dando-lhe um hausto de ar puro da noite de Dartirtoor. Nunca esteve lá? Ali, bem, acho que você não vai se esquecer de sua primeira visita.

XIV

O cão dos Baskerville

Um dos defeitos de Sherlock Holmes, se é que, realmente, se pode chamar isso de defeito, era que ele era excessivamente avesso a comunicar os seus planos completos a qualquer outra pessoa até o instante da sua realização. Em parte isso vinha sem dúvida da sua própria natureza magistral, que adorava dominar e surpreender aqueles que estavam à sua volta. Em parte também da sua cautela profissional, que o impedia sempre de correr quaisquer riscos. O resultado, contudo, era muito penoso para aqueles que estavam atuando como seus agentes e assistentes. Eu havia sofrido isso muitas vezes, mas nunca tanto quanto durante aquela longa viagem de trole no escuro. A grande provação estava diante de nós; pelo menos estávamos prestes a fazer o nosso esforço final, e apesar disso Holmes não havia dito nada, e pude apenas imaginar qual seria o curso da sua ação. Meus nervos formigaram de expectativa quando finalmente o vento frio sobre os nossos rostos e os espaços vazios, escuros, dos dois lados da estrada estreita me disseram que estávamos, mais uma vez, de volta à charneca. Cada passo dos cavalos e cada volta das rodas estavam nos levando para mais perto da nossa aventura suprema.

A nossa conversa foi dificultada pela presença do cocheiro do trole alugado, de forma que fomos forçados a falar de assuntos triviais quando os nossos nervos estavam tensos de emoção e expectativa. Foi um alívio para mim, após essa limitação pouco natural, quando passamos finalmente pela casa de Frankland e vimos que estávamos chegando perto do solar e da cena da ação. Nós não fomos de trole até à porta, mas descemos perto do portão da avenida. O trole foi pago e mandado imediatamente de volta para Coombe Tracey, enquanto começamos a caminhar para o Solar Merripit.

– Você está armado, Lestrade?

O pequeno detetive sorriu.

– Enquanto estiver com as minhas calças, tenho um bolso traseiro, e enquanto tiver meu bolso traseiro, tenho algo dentro dele.

– Ótimo! Meu amigo e eu também estamos prontos para emergências.

– O senhor está muito fechado quanto a este caso, Sr. Holmes. Qual é o jogo agora?

– Um jogo de espera.

– Esse não parece um lugar muito animado! – disse o detetive com um calafrio, olhando em volta para as encostas sombrias da colina e para o enorme lago de cerração que pairava sobre o pântano de Grimpen.

– Vejo as luzes de uma casa na nossa frente.

– Essa é a casa de Merripit e o fim da nossa jornada. Devo pedir-lhes que caminhem na ponta dos pés e que não falem acima de um sussurro.

Seguimos cautelosamente pelo caminho como se estivéssemos nos dirigindo para a casa, mas Holmes nos deteve quando estávamos a cerca de cento e oitenta metros dela.

– Aqui está bom – disse ele. – Estas pedras à direita constituem uma proteção admirável.

– Vamos esperar aqui?

– Sim, faremos a nossa pequena emboscada aqui. Entre nesta cavidade, Lestrade. Você já esteve dentro da casa, não esteve, Watson? Pode dizer a posição dos cômodos? De onde são aquelas janelas com treliças nesta extremidade?

– Acho que são as janelas da cozinha.

– E aquela além, que brilha tanto?

– Certamente é da sala de jantar.

– As cortinas estão levantadas. Você conhece melhor a disposição do terreno. Avance em silêncio furtivamente e veja o que eles estão fazendo, mas, pelo amor de Deus, não os deixe perceber que estão sendo vigiados!

Desci pelo caminho na ponta dos pés e abaixei-me por trás de um muro baixo que cercava o pomar raquítico. Entrando com cuidado em sua sombra, atingi um ponto de onde pude olhar diretamente pela janela sem cortina.

Havia apenas dois homens na sala, Sir Henry e Stapleton. Estavam sentados com seus perfis voltados para mim dos dois lados de uma mesa redonda. Os dois estavam fumando charutos, e havia café e vinho diante deles. Stapleton estava falando com animação, mas o baronete parecia pálido e distraído. Talvez a lembrança daquela caminhada solitária pela charneca de mau agouro estivesse pesando fortemente em sua mente.

Enquanto eu os observava Stapleton ergueu-se e deixou a sala, enquanto Sir Henry enchia o seu copo outra vez e recostava-se na sua cadeira, fumando o charuto. Ouvi o ranger de uma porta e o ruído nítido de botas. Os passos passaram pelo caminho do outro lado do muro sob o qual eu me agachara. Olhando por cima, vi o naturalista parar diante da porta de uma dependência no canto do pomar. Uma chave girou numa fechadura e, quando ele entrou lá, houve um ruído curioso de luta vindo de dentro. Ficou apenas um minuto dentro, e depois ouvi a chave girar mais uma vez e ele passou por mim entrando em casa novamente. Vi-o reunir-se outra vez ao seu convidado, e voltei furtivamente em silêncio para onde meus companheiros estavam esperando para contar-lhes o que havia visto.

– Você diz, Watson, que a dama não está lá? – perguntou Holmes quando eu havia terminado meu relatório.

– Não.

– Onde pode estar ela, então, já que não há nenhuma luz em qualquer outro cômodo exceto na cozinha?

– Não posso imaginar onde ela esteja.

Eu havia dito que sobre o grande pântano de Grimpen pairava uma cerração branca, densa. A névoa estava vindo lentamente em nossa direção e se acumulava como um muro daquele lado, baixa porém espessa e bem definida. A lua brilhava sobre ela, e ela parecia um grande campo de gelo bruxuleante, com os cumes dos picos rochosos distantes como rochas transportadas sobre a sua superfície.

O rosto de Holmes virou-se para ela e ele resmungou impaciente ao observá-la arrastar-se vagarosamente.

– Ela está vindo em nossa direção, Watson.

– Isso é sério?

– Muito sério realmente, a única coisa que podia ter transtornado os meus planos. Ele não pode demorar muito agora. Já são dez horas. O nosso sucesso e até a vida dele podem depender de ele sair antes que a cerração cubra o caminho.

A noite estava clara e linda acima de nós. As estrelas brilhavam frias e nítidas, enquanto uma meia-lua banhava toda a cena com uma luz macia e incerta. Diante de nós estava o vulto escuro da casa, com o seu telhado serrilhado e janelas de baixo estendiam-se pelo pomar e pela charneca. Uma delas apagou-se de repente. Os criados haviam deixado a cozinha. Restava apenas o lampião da sala de jantar onde os dois homens, o anfitrião assassino e o convidado inocente ainda conversavam fumando seus charutos.

A cada minuto aquela planície branca que cobria metade da charneca arrastava-se cada vez mais para perto da casa. As primeiras espirais finas dela já estavam se enroscando pelo quadrado dourado da janela iluminada. O muro oposto do pomar já estava invisível, e as árvores estavam se projetando de uma rodamoinho de vapor branco. Enquanto a observávamos, as espirais da cerração vieram se arrastando em volta de ambos os cantos da casa e rolaram lentamente formando uma barreira densa, sobre a qual o andar superior e o telhado flutuavam como uma embarcação estranha num mar sombrio. Holmes bateu com a mão colericamente na pedra diante de nós e com os pés em sua impaciência.

– Se ele não sair num quarto de hora o caminho ficará coberto. Dentro de meia-hora não poderemos ver nossas mãos diante de nós.

– Vamos recuar para mais longe em terreno mais elevado?

– Sim, acho que isso seria melhor.

Conforme a barreira de cerração deslocava-se para a frente, nós recuávamos diante dela até chegarmos a oitocentos metros da casa, e aquele denso mar branco com a lua prateando sua orla superior ainda avançava lentamente.

– Estamos indo longe demais – disse Holmes. – Não podemos correr o risco de ele ser alcançado antes de poder chegar até nós. Devemos ficar onde estamos a todo custo.

Ele caiu de joelhos e colou o ouvido ao chão.

– Graças a Deus, acho que o estou ouvindo chegar.

Um ruído de passos rápidos rompeu o silêncio da charneca. Agachados; entre as pedras, olhávamos atentamente para a barreira encimada de prata diante de nós. Os passos ficaram mais altos, e através da cerração, como através de uma cortina, emergiu o homem que estávamos esperando. Ele olhou em volta surpreso ao sair na noite clara e estrelada. Depois veio rapidamente pelo caminho, passou perto de onde estávamos, e continuou subindo a longa encosta atrás de nós. Enquanto andava, ele olhava continuamente por cima dos ombros, como um homem que estivesse pouco à vontade.

– Psiu! – exclamou Holmes, e ouvi o estalido metálico de uma pistola engatilhando. – Cuidado! Ele está vindo!

Sons de passos fracos, mas contínuos vinham de alguma parte no âmago da barreira que se arrastava. A nuvem estava a quarenta metros de onde estávamos, e nós olhamos fixamente para ela, todos três, incertos do horror que estava prestes a irromper do meio dela. Eu estava junto ao cotovelo de Holmes, e olhei por um instante para o seu rosto. Ele estava pálido e exultante, com os olhos brilhando vivamente ao luar. Mas de repente eles se fixaram em frente num olhar rígido e fixo, e seus lábios partiram-se, estupefatos. No mesmo instante Lestrade soltou um grito de terror e lançou-se de bruços no chão. Eu saltei de pé, com minha mão inerte agarrada à pistola, minha mente paralisada pela aparição horrível que havia saltado sobre nós das sombras da cerração. Era um cão, um cão enorme, negro como o carvão, um cão que olhos mortais jamais tinha visto. Jorrava fogo de sua boca, os olhos brilhavam, seu focinho, pelos do pescoço e papada estavam delineados em chamas bruxuleantes. Nunca no sonho delirante de um cérebro em desordem podia ser concebido nada mais selvagem, mais aterrador, mais infernal do que o vulto escuro e a aparência selvagem que irrompeu sobre nós do muro de cerração.

Com longos saltos a enorme criatura preta estava descendo o caminho aos pulos, seguindo firme os passos do nosso amigo. Ficamos tão paralisados pela aparição que permitimos que ela passasse antes de recuperarmos a coragem. Depois Holmes e eu atiramos ambos juntos, e a criatura soltou um uivo medonho, que mostrou que pelo menos um a havia atingido. Ela não parou, contudo, mas continuou seguindo aos pulos. Ao longe no caminho vimos Sir Henry olhando para trás com o rosto branco ao luar, as mãos erguidas de terror, olhando impotente fixamente para a coisa assustadora que o estava perseguindo.

O grito de dor do cão havia lançado todos os nossos receios aos quatro ventos. Se ele era vulnerável, era mortal, e se podíamos feri-lo, podíamos matá-lo. Nunca vi um homem correr como Holmes correu naquela noite. Sou considerado ligeiro de pés, mas ele me ultrapassou tanto quanto eu ultrapassei o pequeno profissional. Diante de nós, ao voarmos pelo caminho, ouvimos grito após grito de Sir Henry e o rosnar profundo do cão. Cheguei a tempo de ver a fera saltar sobre sua vítima, atirá-la ao chão, e lançar-se à sua garganta. Mas no instante seguinte Holmes havia esvaziado cinco tiros do seu revólver no flanco da criatura. Com um último uivo de agonia e uma mordida enraivecida no ar, ela rolou de costas com os quatro pés agitando-se furiosamente, e depois caiu mole de lado. Eu me abaixei, ofegante, e comprimi minha pistola contra a cabeça horrível, que brilhava fracamente, mas não precisei apertar o gatilho. O cão gigantesco estava morto.

Sir Henry jazia inerte onde havia caído. Arrancamos o seu colarinho e Holmes murmurou uma prece de gratidão quando viu que não havia nenhum sinal de ferimento e que o socorro havia chegado a tempo. As pálpebras do nosso amigo já estremeciam e ele fez um débil esforço para se mexer. Lestrade enfiou seu frasco de conhaque entre os dentes do baronete, e dois olhos assustados ficaram olhando para nós.

– Meu Deus! – sussurrou ele. – O que era isso? O que, em nome dos céus, era isso?

– Está morto, o que quer que seja – disse Holmes.

Liquidamos com o fantasma da família de uma vez para sempre.

Apenas em tamanho e força era uma criatura terrível que jazia estendida diante de nós. Não era um sabujo puro e não era um mastim puro, mas parecia ser uma combinação dos dois, ossudo, selvagem e tão grande como uma pequena leoa. Mesmo agora, na imobilidade da morte, as mandíbulas enormes pareciam gotejar uma chama azulada e os olhos pequenos, profundos e cruéis estavam orlados de fogo. Coloquei minha mão no focinho brilhante, e quando a levantei meus próprios dedos esbraseavam e brilhavam na escuridão.

– Fósforo – disse eu.

– Um preparado astuto dele – disse Holmes cheirando o animal morto. – Não há nenhum cheiro que possa ter interferido com o poder do seu faro. Devemos a você profundas desculpas, Sir Henry, por tê-lo exposto a esse susto. Eu estava preparado para um cão, mas não para uma criatura como esta. E a cerração deu-nos pouco tempo para recebê-la.

– Você salvou a minha vida.

– Tendo primeiro a posto em perigo. Você tem força bastante para se levantar?

– Dê-me mais um gole grande desse conhaque e estarei pronto para qualquer coisa. Portanto! Agora, se você quiser me ajudar. O que você propõe fazer?

– Deixá-lo aqui. Você não está preparado para outras aventuras esta noite. Se esperar, um ou outro de nós voltará com você para o solar.

Ele tentou levantar-se cambaleando, mas ainda estava horrivelmente pálido e tremendo em todos os membros. Nós o ajudamos a ir até uma pedra, onde ele se sentou tremendo com o rosto mergulhado nas mãos.

– Temos que deixá-lo agora – disse Holmes. – O resto do nosso trabalho tem que ser feito, e cada momento é importante. Temos o nosso caso, e agora queremos apenas o nosso homem.

– É de mil para um a probabilidade de o encontrarmos em casa – continuou ele ao refazermos nossos passos rapidamente pelo caminho. – Aqueles tiros devem ter dito a ele que o jogo terminou.

– Estávamos afastados a alguma distância, e essa cerração pode tê-los amortecido.

– Ele seguiu o cão para chamá-lo, disso vocês podem estar certos. Não, não, ele se foi a esta altura! Mas revistaremos a casa para ter certeza.

A porta da frente estava aberta, portanto entramos correndo e fomos de cômodo em cômodo, para espanto de um velho criado trôpego que se encontrou conosco no corredor. Não havia nenhuma luz salvo na sala de jantar, mas Holmes apanhou o lampião e não deixou nenhum canto da casa inexplorado. Não pudemos ver nenhum sinal do homem que estávamos perseguindo. No andar de cima, contudo, a porta de um dos quartos estava trancada.

– Há alguém aqui – gritou Lestrade. – Posso ouvir um movimento. Abra essa porta!

Um gemido e um farfalhar fraco vieram de dentro. Holmes atingiu a porta logo acima da fechadura com a sola do pé e esta se abriu. Com a pistola na mão, nós três entramos correndo no quarto.

Entretanto não havia nenhum sinal dentro dele daquele vilão desesperado e desafiador que esperávamos ver. Em vez disso nos deparamos com um objeto tão estranho e tão inesperado que ficamos parados por um momento olhando para ele espantados.

O quarto havia sido arrumado como um pequeno museu, e as paredes estavam cobertas por um certo número de caixas com tampas de vidro cheias daquela coleção de borboletas e mariposas, cuja formação tinha sido o passatempo desse homem complexo e perigoso. No centro do quarto havia uma trave vertical, que havia sido colocada em algum período como suporte dos barrotes de madeira comidos pelo cupim que sustentavam o telhado. A esse poste estava amarrado um vulto, tão enfaixado e encoberto pelos lençóis que tinham sido usados para amarrá-lo que não se podia dizer no momento se era de um homem ou de uma mulher. Uma toalha passava em volta da garganta e estava presa atrás do pilar. Outra cobria a parte inferior do rosto, e sobre ela dois olhos escuros, olhos cheios de dor, vergonha e uma interrogação horrível, nos contemplavam. Num minuto havíamos arrancado a mordaça, desenfaixado os laços, e a Sra. Stapleton caiu no chão diante de nós. Quando a sua bela cabeça caiu sobre o peito vi o claro vergão vermelho de uma chicotada no seu pescoço.

– O animal! – exclamou Holmes. – Aqui, Lestrade, sua garrafa de conhaque! Ponha-a na cadeira! Ela desmaiou de maus tratos e exaustão.

Ela abriu os olhos outra vez.

– Ele está em segurança? – perguntou ela. – Ele escapou?

– Ele não pode escapar de nós, madame.

– Não, não, não me refiro ao meu marido. Sir Henry? Ele está em segurança?

– Está.

– E o cão?

– Está morto.

Holmes havia esvaziado cinco tiros do seu revólver no flanco da criatura (Ilustração de Sidney Paget).

Ela soltou um longo suspiro de satisfação.

– Graças a Deus! Graças a Deus! Oh, esse vilão! Viu como ele me tratou!

Ela estendeu os braços para fora das mangas, e vimos com horror que estavam todos cobertos de contusões.

– Mas isto não é nada, nada! É a minha mente e minha alma que ele torturou e maculou. Eu pude suportar isso tudo, maus tratos, solidão, uma vida de impostura, tudo, desde que pudesse me agarrar ainda à esperança de que tinha o seu amor, mas agora sei que nisso também tenho sido joguete e seu instrumento.

Ela irrompeu num pranto apaixonado enquanto falava.

– A senhora não tem nenhuma boa vontade para com ele, madame – disse Holmes. – Conte-nos, então, onde podemos encontrá-lo. Se a senhora alguma vez o ajudou no mal, ajude-nos agora e assim se redima.

– Não há senão um lugar para onde ele pode ter fugido respondeu ela. – Há uma velha mina de estanho numa ilha no meio do pântano. Era lá que ele guardava o seu cão e lá também que ele fez preparativos para que pudesse ter um refúgio. Para lá é que ele fugiria.

A barreira de cerração jazia como lã branca contra a janela. Holmes ergueu o lampião em direção a ela.

– Veja – disse ele. – Ninguém pode encontrar seu caminho para dentro do pântano de Grimpen esta noite.

Ela riu e bateu as mão. Seus olhos e dentes brilharam com alegria feroz.

– Ele pode encontrar seu caminho para entrar, mas nunca para sair – exclamou ela. – Como pode ele ver as varas orientadoras esta noite? Nós as plantamos juntos, ele e eu, para marcar o caminho através do pântano. Oh, se eu pudesse ao menos tê-las arrancado hoje. Então realmente os senhores o teriam a sua mercê!

Era evidente para nós que toda a perseguição era em vão até que a cerração tivesse levantado. Enquanto isso, deixamos Lestrade de posse da casa enquanto Holmes e eu voltamos com o baronete para o Solar Baskerville. A história dos Stapleton não podia mais ser escondida dele, mas ele recebeu o golpe bravamente quando soube a verdade sobre a mulher que havia amado. Mas o choque das aventuras da noite havia destruído os seus nervos, e antes de amanhecer, ele estava delirante e com febre alta, sob os cuidados do Dr. Mortimer. Eles dois estavam destinados a viajar juntos à volta do mundo antes de Sir Henry se tomar mais uma vez o homem são e robusto que era antes de se tornar dono daquela propriedade de mau agouro.

E agora chego rapidamente à conclusão desta narrativa singular, na qual tentei fazer o leitor partilhar daqueles receios sombrios e suspeitas vagas que orientaram as nossas vidas por tanto tempo e terminaram de maneira tão trágica.

Na manhã após a morte do cão a cerração havia se levantado e fomos guiados pela Sra. Stapleton até o ponto onde eles haviam encontrado o caminho através do

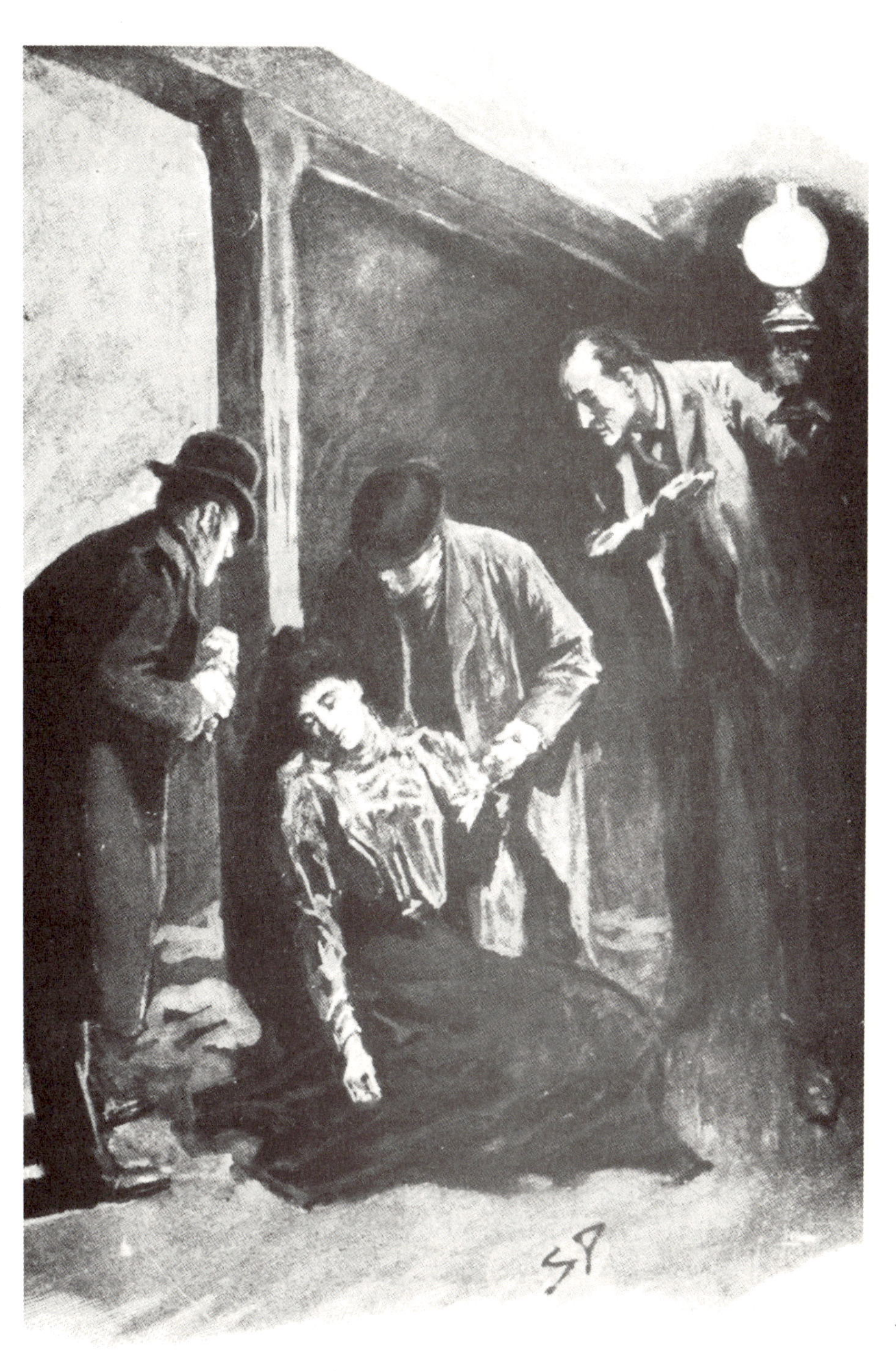

Sra. Stapleton caiu no chão diante de nós (Ilustração de Sidney Paget).

lodaçal. Quando vimos a ansiedade e a alegria com que ela nos pôs na pista do seu marido, compreendemos o horror da vida dessa mulher. Nós a deixamos parada sobre a fina península de terra firme e turfosa que se estreitava para dentro do amplo lodaçal. A partir do fim dela uma pequena vara plantada aqui e ali mostrava onde o caminho ziguezagueava de tufo em tufo de junco por entre estes buracos escumados de verde e atoleiros imundos que barravam o caminho para o estranho. Caniços opulentos e luxuriantes e plantas aquáticas viscosas exalavam um cheiro de podridão e um vapor pesado em nossos rostos, enquanto um passo em falso nos mergulhou mais de uma vez até a coxa no pântano escuro e trêmulo, que se sacudia por vários passos em ondulações macias em torno dos nossos pés. Sua viscosidade tenaz segurava os nossos calcanhares quando andávamos, e quando afundávamos nela. Era como se alguma mão maligna estivesse nos puxando para baixo dentro daquelas profundezas obscenas, tão feroz e intencional era a pressão com que nos prendia. Só uma vez vimos um traço de que alguém havia passado por aquele caminho perigoso antes de nós. Do meio de um tufo que brotava para fora do lodo projetava-se uma coisa escura. Holmes abaixou-se até a cintura quando saiu do caminho para pegá-la, e se não estivéssemos lá para puxá-lo para fora ele podia nunca mais pôr os pés em terra firme outra vez. Ele segurava uma velha bota preta no ar. "Meyers, Toronto" estava impresso do lado de dentro do couro.

– Isso vale um banho de lama – disse ele. – É a bota perdida do nosso amigo, Sir Henry.

– Atirada aqui por Stapleton em sua fuga.

– Exatamente. Ele a conservou na mão após usá-la para pôr o cão no rasto. Ele fugiu quando viu que o jogo havia terminado, segurando-a ainda. E atirou-a fora neste ponto da sua fuga. Sabemos finalmente que ele chegou até aqui em segurança.

Mais do que isso nós nunca estávamos destinados a saber, embora houvesse muito que pudéssemos imaginar. Não havia nenhuma possibilidade de encontrar pegadas no pântano, porque a lama que subia brotava rapidamente sobre elas, mas quando chegamos por fim a terreno mais firme além do brejo, nós todos as procuramos ansiosamente. Mas nem o mais ligeiro sinal delas jamais foi visto. Se a terra contasse uma história verdadeira, então Stapleton jamais chegou àquela ilha de refúgio em direção a qual lutou através da cerração na noite anterior. Em alguma parte no coração do grande pântano de Grimpen, no fundo da viscosidade imunda do enorme atoleiro que o havia sorvido, esse homem frio e de coração cruel está enterrado para sempre.

Encontramos muitos vestígios dele na ilha cercada de lodo onde ele havia escondido o seu selvagem aliado. Uma roda enorme e um poço meio cheio de detritos mostravam a posição de uma mina abandonada. Ao lado dela estavam os restos em ruínas das casinhas dos mineiros, expulsos sem dúvida pelo cheiro infecto do pântano em tomo. Em uma dessas um grampo de ferro e uma corrente com uma quantidade de ossos roídos mostravam onde o animal havia estado confinado. Um esqueleto com um emaranhado de pelos marrons presos a ele jazia entre os detritos.

– Um cão! – disse Holmes. – Por Deus, um spaniel de pelos encaracolados. Pobre Mortimer, nunca verá o seu animal de estimação outra vez. Bem, pelo que sei este lugar não contém qualquer outro segredo que já não tenhamos imaginado. Ele pôde esconder o seu cão mas não pôde calar sua voz, e daí aqueles gritos que mesmo à luz do dia não eram agradáveis de ouvir. Numa emergência ele podia guardar o cão na dependência de Merripit, mas era sempre um risco, e foi só no dia supremo, que ele considerou como o fim de todos os seus esforços, que se atreveu a fazer isso. Esta pasta na lata sem dúvida é a mistura luminosa com a qual a criatura era besuntada. Isso foi sugerido, naturalmente, pela história do cão diabólico da família, e pelo desejo de amedrontar o velho Sir Charles até matá-lo. Não admira que o pobre diabo do condenado corresse e gritasse, da mesma forma como o nosso amigo fez, e como nós mesmos teríamos feito, quando viu essa criatura saltando através da escuridão da charneca na sua pista. Foi um artifício astuto, porque, além da possibilidade de levar sua vítima à morte, que camponês se aventuraria a investigar com demasiado empenho a respeito dessa criatura se a tivesse visto, como muitos viram, na charneca? Eu disse em Londres, Watson, e digo outra vez agora que nunca até agora ajudamos a caçar um homem mais perigoso do que esse que jaz lá longe – ele girou seu braço comprido em direção à extensão enorme do pântano, salpicado de manchas verdes que se estendiam à distância até se fundir com as encostas avermelhadas da charneca.

XV

Uma retrospectiva

Era fim de novembro, e Holmes e eu estávamos sentados, numa noite fria, úmida e nevoenta, de ambos os lados de um fogo resplandecente em nossa sala da Baker Street. Desde o desfecho trágico da nossa visita ao Devonshire ele esteve ocupado com dois casos da mais alta importância; no primeiro dos quais havia denunciado a conduta atroz do coronel Upwood em relação ao famoso escândalo das cartas do Clube Noripareil, ao passo que no segundo havia defendido a infeliz Sra. Montpensier da acusação de assassinato que pendia sobre ela em relação à morte da sua enteada, Senhorita Carére, a jovem que, como se deve lembrar, foi encontrada seis meses mais tarde viva e casada em Nova York. O meu amigo estava de excelente humor pelo sucesso que havia se seguido a uma sucessão de casos difíceis e importantes, de forma que pude convencê-lo a discutir os detalhes do mistério de Baskerville. Eu havia esperado pacientemente pela oportunidade, porque sabia que ele nunca permitiria que os casos se superpusessem, e que sua mente límpida e lógica fosse afastada do seu trabalho atual para alongar-se sobre lembranças do passado. Sir Henry e o Dr. Mortimer estavam, contudo, em Londres, a caminho daquela longa viagem que havia sido recomendada para a restauração dos seus nervos abalados. Eles haviam nos visitado naquela mesma tarde, de forma que era natural que o assunto surgisse para discussão.

– Todo o curso dos acontecimentos – disse Holmes do ponto de vista do homem que chamava-se a si mesmo de Stapleton, era simples e direto, embora para nós, que no começo não tínhamos nenhum meio de saber os motivos dos seus atos e podíamos saber apenas uma parte dos fatos, tudo parecesse excessivamente complexo. Eu tive a vantagem de duas conversas com a Sra. Stapleton, e o caso agora foi tão completamente esclarecido que não sei se há alguma coisa que tenha permanecido secreta para nós. Você encontrará algumas anotações sobre o assunto na letra B da minha lista indexada de casos.

– Talvez você tenha a bondade de me fazer de memória um resumo do curso dos acontecimentos.

– Certamente, embora não possa garantir que tenha todos os fatos em mente. A concentração mental intensa tem uma maneira curiosa de apagar o que passou. O advogado que tem o seu caso na ponta dos dedos e pode discutir com um especialista sobre o seu próprio assunto descobre que uma semana ou duas de tribunal afastará isso tudo para longe da sua cabeça mais uma vez. Assim cada um dos meus casos substitui o último, e Senhorita Carére apagou a minha lembrança do Solar Baskerville. Amanhã algum outro pequeno problema pode ser submetido à minha atenção, o que por sua vez desalojará a bela dama francesa e o infame Upwood. No que diz respeito ao caso do cão, contudo, vou dar-lhe o curso dos acontecimentos o mais de perto que puder, e você sugerirá qualquer coisa que eu possa ter esquecido.

– Minhas investigações mostram além de qualquer dúvida que o retrato não mentiu, e que esse sujeito era realmente um Baskerville. Ele era filho daquele Rodger Baskerville, o irmão caçula de Sir Charles, que fugiu com uma reputação sinistra para a América do Sul, onde diziam que morreu sem se casar.

– Na verdade, ele se casou, e teve um filho, esse sujeito, cujo nome verdadeiro é o mesmo do seu pai. Ele se casou com Beryl Garcia, uma das belas de Costa Rica e, tendo roubado uma soma considerável de dinheiro público, mudou o nome para Vandeleur e fugiu para a Inglaterra, onde se estabeleceu com um colégio a leste do Yorkshire. Seu motivo para tentar essa linha especial de negócio foi por haver travado um conhecimento com um tutor tuberculoso na viagem para casa, e haver usado a capacidade deste homem para tornar o empreendimento um sucesso. Fraser, o tutor, morreu, contudo, e o colégio que havia começado bem caiu do descrédito para a infâmia. Os Vandeleurs acharam conveniente mudar o nome para Stapleton, e ele trouxe os restos da sua fortuna, seus planos para o futuro, e o seu gosto pela entomologia para o sul da Inglaterra. Eu soube no Museu Britânico que ele era uma autoridade reconhecida no assunto, e que o nome de Vandeleur havia sido ligado permanentemente a uma certa mariposa que ele havia, no seu tempo de Yorkshire, sido o primeiro a descrever.

– Chegamos agora àquela parte da vida dele que provou ser de um interesse tão intenso para nós. O sujeito havia evidentemente investigado e descoberto que só duas vidas interpunham-se entre ele e uma propriedade valiosa. Quando foi para o Devonshire seus planos eram, creio, excessivamente vagos, mas que ele estava com más intenções desde o princípio é evidente pela maneira como levou a mulher consigo disfarçada como sua irmã. A ideia de usá-la como chamariz já estava clara em sua mente, embora ele possa não ter tido certeza de como os detalhes da sua trama deviam ser dispostos. Pretendia no fim ter a propriedade, e estava pronto a usar qualquer instrumento ou correr qualquer risco para esse fim. Seu primeiro ato foi estabelecer-se o mais perto possível do seu lar ancestral, e o segundo foi cultivar uma amizade com Sir Charles Baskerville e com os vizinhos.

– O próprio baronete contou a ele sobre o cão da família, e assim preparou o caminho para a própria morte. Stapleton, como continuarei a chamá-lo, sabia que o coração do velho era fraco e que um choque o mataria. Isso ele tinha sabido pelo Dr. Mortimer. Havia ouvido também que Sir Charles era supersticioso e havia levado muito a sério essa lenda sombria. Sua mente engenhosa sugeriu instantaneamente um meio pelo qual o baronete pudesse ser morto, e apesar disso dificilmente seria possível imputar a culpa ao verdadeiro assassino.

– Tendo concebido a ideia, começou a executá-la com considerável sofisticação. Um planejador comum teria se contentado em trabalhar com um cão selvagem. O uso de meios artificiais para tornar a criatura diabólica foi um lampejo de gênio da parte dele. O cão ele comprou em Londres de Ross e Mangles, os comerciantes da Fulham Road. Era o mais forte e mais selvagem em poder deles Ele o trouxe para o sul pela linha North Devon e caminhou uma grande distância pela charneca a fim de levá-lo para casa sem provocar nenhum comentário. Em suas caçadas de insetos ele já havia aprendido a penetrar no pântano de Grimpen, e assim encontrara um esconderijo seguro para a criatura. Ali ele o manteve no canil e esperou a sua oportunidade.

– Mas esta levou algum tempo para chegar. O velho cavalheiro não podia ser atraído para fora dos seus terrenos à noite. Várias vezes Stapleton escondeu-se por perto com o seu cão mas sem resultado. Foi durante essas andanças infrutíferas que ele, ou melhor seu aliado, foi visto pelos camponeses, e que a lenda do cão diabólico recebeu uma nova confirmação. Ele havia esperado que sua mulher pudesse levar Sir Charles à ruína, mas ela provou ser inesperadamente independente. Ela não procuraria enredar o velho cavalheiro numa ligação sentimental que pudesse entregá-lo ao seu inimigo. Ameaças e até, lamento dizer, pancadas, não conseguiram demovê-la. Ela não teria nada a ver com isso, e por algum tempo Stapleton ficou num impasse.

– Ele encontrou uma saída para as suas dificuldades através da oportunidade que Sir Charles, que havia expressado amizade por ele, proporcionara, encarregando-o da sua caridade no caso dessa infeliz mulher, a Sra. Laura Lyons. Apresentando-se como solteiro ele conseguiu completa influência sobre ela, e deu-lhe a entender que, no caso dela obter o divórcio do seu marido, se casaria com ela. Seus planos foram levados de repente a uma fase decisiva pelo seu conhecimento de que Sir Charles estava prestes a deixar o solar a conselho do Dr. Mortimer, com cuja opinião ele próprio pretendia concordar. Ele devia agir imediatamente ou a sua vítima podia ficar fora do alcance. Portanto fez pressão sobre a Sra. Lyons para escrever aquela carta, implorando ao velho para conceder-lhe uma entrevista na noite anterior à da sua partida para Londres. Depois, através de um argumento capcioso, impediu-a de ir, e assim teve a oportunidade que esperava.

– Voltando de trole de Coorribe Tracey à noite, ele chegou a tempo de pegar o seu cão, lambuzá-lo com essa tinta infernal, e levar o animal até o portão no qual tinha motivos para esperar encontrar o velho cavalheiro esperando. O cão, incitado pelo dono, saltou por cima da cancela do portão e perseguiu o infeliz baronete, que fugiu gritando pela aleia dos teixos. Naquele túnel sombrio devia realmente ter sido uma visão horrível ver a criatura preta enorme, com as mandíbulas em chamas e os olhos candentes, saltando atrás da sua vítima. Ele caiu morto no fim da aleia, de ataque cardíaco e terror. O cão havia ficado sobre a margem gramada enquanto o baronete havia corrido pelo caminho, de forma que nenhuma pista senão a do homem era visível. Ao vê-lo caído imóvel, a criatura provavelmente aproximou-se para farejá-lo, mas encontrando-o morto havia se afastado novamente. Foi então que ela deixou a marca que foi realmente observada pelo Dr. Mortimer. O cão foi chamado e levado às pressas para o seu covil no pântano de Grimpen, e foi deixado um mistério que confundiu as autoridades, alarmou a região e finalmente trouxe o caso ao campo da nossa observação.

– Isso quanto à morte de Sir Charles Baskerville. Você percebe a astúcia diabólica dela, porque realmente seria quase impossível criar um caso contra o verdadeiro assassino. Seu único cúmplice era um que não podia nunca denunciá-lo, e a natureza grotesca, inconcebível do artifício, só serviu para torná-lo mais eficaz. Ambas as mulheres relacionadas com o caso, a Sra. Stapleton e a Sra. Laura Lyons, foram deixadas com uma forte desconfiança contra Stapleton. A Sra. Stapleton sabia que ele tinha planos quanto ao velho, e também da existência do cão. A Sra.

Lyons não sabia nenhuma destas coisas, mas havia ficado impressionada pelo fato de a morte ocorrer na ocasião de um encontro não desmarcado, o que só ele sabia. Contudo, ambas estavam sob a influência dele, e ele não tinha nada a recear delas. A primeira metade da sua tarefa fora realizada com sucesso, mas o mais difícil ainda restava.

– É possível que Stapleton não soubesse da existência de um herdeiro no Canadá. De qualquer maneira ele saberia disso muito em breve pelo seu amigo, o Dr. Mortimer, e o último contou a ele todos os detalhes da chegada de Sir Henry Baskerville. A primeira ideia de Stapleton foi que esse jovem estranho do Canadá pudesse ser morto possivelmente em Londres sem ir absolutamente até o Devonshire. Ele não confiava na sua mulher desde que ela se recusara a ajudá-lo em preparar uma armadilha para o velho, e não se atrevia a deixá-la por muito tempo longe dele com medo de perder a influência sobre ela. Foi por esse motivo que levou-a para Londres consigo. Eles se hospedaram, descobri, no Hotel Particular Mexborough na rua Craven, que foi realmente um daqueles visitados pelo meu agente em busca de provas. Ali ele manteve a mulher prisioneira no quarto enquanto ele, disfarçado com uma barba, seguiu o Dr. Mortimer até a Baker Street e depois até a estação e ao Hotel Northumberland. Sua mulher tinha alguma ideia dos seus planos, mas ela tinha um tal medo do marido, medo fundado no tratamento brutal, que não se atreveu a escrever para prevenir o homem que ela sabia estar em perigo. Se a carta caísse nas mãos de Stapleton sua própria vida não estaria segura. Finalmente, como sabemos, ela adotou o expediente de cortar as palavras que formariam a mensagem, e endereçar a carta numa letra disfarçada. Esta chegou ao baronete e deu-lhe o primeiro aviso do perigo que corria.

– Era essencial para Stapleton arranjar alguma peça de vestuário de Sir Henry para que, no caso de ser obrigado a usar o cão, pudesse ter sempre os meios de lançá-lo na sua pista. Com presteza e audácia características, ele cuidou disso imediatamente, e não podemos duvidar de que o engraxate ou a camareira do hotel foram bem subornados para ajudá-lo em seu desígnio. Por acaso, contudo, a primeira bota que foi conseguida para ele era nova e, portanto, inútil para o objetivo. Então ele a fez ser devolvida e obteve outra, um incidente muito instrutivo, já que provou conclusivamente em minha mente que estávamos lidando com um cão verdadeiro, porque nenhuma outra suposição poderia explicar essa ansiedade de obter uma bota velha e essa indiferença pela nova. Quanto mais bizarro e grotesco é um incidente, com mais cuidado ele merece ser examinado, e o próprio ponto que parece complicar um caso é, quando devidamente considerado e cientificamente manipulado, aquele que tem mais probabilidade de elucidá-lo.

– Depois tivemos a visita dos nossos amigos na manhã seguinte, seguidos sempre por Stapleton no táxi. Pelo seu conhecimento do nosso endereço e da minha aparência, bem como da sua conduta geral, estou inclinado a pensar que a carreira criminosa de Stapleton não está limitada de maneira alguma a este caso isolado de Baskerville. É sugestivo o fato de durante os últimos três anos ter havido quatro roubos consideráveis na região Oeste, nenhum dos quais qualquer criminoso jamais foi preso. O último desses, em Folkstone Court, em maio, foi notável pelo disparo a sangue-frio no pajem, que surpreendeu o ladrão mascarado e solitário. Não posso duvidar que Stapleton obteve seus recursos que terminavam dessa maneira, e que durante anos ele tem sido um homem desesperado e perigoso.

– Tivemos um exemplo na presteza dos seus recursos naquela manhã em que se livrou de nós com tanto sucesso, e também da sua audácia em mandar de volta o meu próprio nome através do cocheiro. Desde aquele momento ele compreendeu que eu havia assumido o caso em Londres, e que portanto não havia nenhuma chance para ele aqui. Ele voltou para Dartmoor e esperou a chegada do baronete.

– Um momento! – disse eu. – Descreveu, sem dúvida, a sequência dos acontecimentos corretamente, mas há um ponto que você deixou inexplicado. Que fim levou o cão quando o seu dono esteve em Londres?

– Eu dediquei alguma atenção a esse ponto e ele é importante. Não pode haver nenhuma dúvida de que Stapleton tinha um confidente, embora seja pouco provável que ele alguma vez tivesse se colocado em seu poder partilhando todos os seus planos com ele. Havia um velho empregado no solar Merripit cujo nome era Anthony. Sua ligação com os Stapletons pode ser remontada há vários anos, até o tempo em que dirigiu o colégio, de forma que ele devia saber que seu patrão e patroa eram realmente marido e mulher. Esse homem desapareceu e fugiu do país. É sugestivo que Anthony não é um nome comum na Inglaterra, ao passo que Antônio é em todos os países hispânicos ou hispano-americanos. O homem, como a própria Sra. Stapleton, falava inglês bem, mas com um sotaque ciciado curioso. Eu mesmo vi esse velho atravessar o pântano Grimpen pelo caminho que Stapleton havia demarcado. É muito provável, portanto, que na ausência do seu patrão fosse ele que cuidasse do cão, embora nunca possa ter sabido o fim para que o animal era usado.

– Os Stapleton foram depois para o Devonshire, no sul, para onde foram seguidos em breve por Sir Henry e você. Uma palavra agora quanto à minha própria posição na ocasião. Provavelmente você deve se recordar que quando examinei o papel sobre o qual as palavras impressas foram coladas, fiz um exame minucioso da marca d'água. Ao fazer isso segurei-o a poucos centímetros dos meus olhos, e percebi um ligeiro aroma do perfume conhecido como jasmim branco. Há setenta e cinco perfumes e é muito necessário que um especialista em crimes possa distinguir uns dos outros, e mais de uma vez têm ocorrido casos em minha própria experiência que dependeram do seu pronto reconhecimento. A fragrância sugeria a presença de uma dama, e os meus pensamentos já começavam a se voltar para os

Stapleton. Assim eu havia me certificado do cão, e havia desconfiado do criminoso antes mesmo de irmos para a região Oeste.

– O meu jogo era vigiar Stapleton. Era evidente, contudo, que eu não podia fazer isso se estivesse com vocês, já que ele ficaria atentamente em guarda. Enganei todo mundo, portanto, inclusive você, e fui para o sul secretamente quando pensavam que eu estava em Londres. Minhas provações não foram tão grandes como você imaginou, embora esses detalhes triviais nunca devam interferir com a investigação de um caso. Fiquei a maior parte do tempo em Coombe Tracey, e só usei a cabana da charneca quando foi necessário ficar perto da cena da ação. Cartwright tinha vindo comigo, e em seu disfarce como menino do campo foi de grande ajuda para mim. Eu dependia dele para a comida e a roupa branca limpa. Enquanto eu estava observando Stapleton, Cartwright estava frequentemente observando você, de forma que eu podia manter na mão todos os cordões.

– Eu já disse a você que os seus relatórios me chegavam rapidamente, sendo reenviados instantaneamente da Baker Street para Coombe Tracey. Eles me ajudaram muito, e especialmente aquela peça incidentalmente verdadeira da biografia dos Stapleton. Eu pude estabelecer a identidade do homem e da mulher, e saber afinal a quantas andava. O caso havia sido consideravelmente complicado pelo incidente do condenado foragido e das relações entre ele e os Barrymors. Isso também você esclareceu de forma muito eficiente, embora eu já tivesse chegado às mesmas conclusões pelas minhas próprias observações.

– Quando você me descobriu na charneca eu tinha um conhecimento completo de todo o negócio, mas não tinha um caso que pudesse ir a um júri. Mesmo a tentativa de Stapleton contra Sir Henry naquela noite que terminou com a morte do infeliz condenado não nos ajudou a provar assassinato contra o nosso homem. Parecia não haver nenhuma alternativa senão pegá-lo em flagrante, e para isso tínhamos que usar Sir Henry como isca, sozinho e aparentemente desprotegido. Fizemos isso, e ao custo de grave choque para o nosso cliente conseguimos completar o nosso caso e levar Stapleton à sua destruição. Que Sir Henry tivesse sido exposto a isso é, devo confessar, um descrédito para a minha condução do caso, mas não tínhamos nenhum meio de prever o espetáculo terrível e paralisador que o animal apresentou, nem podíamos prever a cerração que permitiu que ele irrompesse sobre nós tão inesperadamente. Tivemos sucesso em nosso objetivo a um custo que tanto o especialista como o Dr. Mortimer me asseguram ser temporário. Uma viagem longa pode permitir ao nosso amigo se recuperar não só dos nervos abalados, como também dos seus sentimentos feridos. Seu amor pela dama era profundo e sincero, e para ele a parte mais triste de todo esse caso negro foi ter sido enganado por ela.

– Resta apenas indicar o papel que ela desempenhou em tudo isso. Não pode haver nenhuma dúvida de que Stapleton exercia uma influência sobre ela que pode ter sido amor ou pode ter sido medo, ou muito provavelmente ambos, já que elas não são de maneira alguma emoções incompatíveis. Ela era, pelo menos, absolutamente eficaz. Por ordem dele, ela concordou em passar por sua irmã, embora ele encontrasse os limites do seu poder quando procurou fazer dela o acessório direto do assassinato. Ela estava pronta para avisar Sir Henry desde que pudesse sem implicar seu marido, e tentou fazer isso várias vezes. O próprio Stapleton parece ter sido capaz de ciúmes, e quando viu o baronete fazendo a corte à dama, embora isso fizesse parte do seu próprio plano, apesar disso não pôde evitar interromper com uma explosão apaixonada que revelou a alma inflamada que os seus modos retraídos escondiam tão astutamente. Encorajando a intimidade, ele certificou-se de que Sir Henry iria frequentemente ao Solar Merripit e que teria mais cedo ou mais tarde a oportunidade que desejava. No dia do crime, no entanto, sua mulher voltou-se de repente contra ele. Ela havia sabido de alguma coisa sobre a morte do condenado, e sabia que o cão estava sendo guardado na dependência na noite em que Sir Henry ia jantar lá. Ela responsabilizou o marido pelo crime pretendido, e seguiu-se uma cena furiosa na qual ele revelou pela primeira vez que ela tinha uma rival no seu amor. A fidelidade dela transformou-se num instante num ódio amargo e ele percebeu que ela ia traí-lo. Portanto amarrou-a, para que não tivesse nenhuma possibilidade de avisar Sir Henry, e esperou, sem dúvida, que quando toda região atribuísse a morte do baronete à maldição da sua família, como certamente faria, poderia recuperar a fidelidade dela fazendo-a aceitar o fato consumado e manter silêncio sobre o que sabia. Nisso, acho que de qualquer maneira ele cometeu um engano, e que, se nós não estivéssemos lá, a sorte dele estaria selada apesar disso. Uma mulher de sangue espanhol não perdoa um agravo desses tão facilmente. E agora, meu caro Watson, sem me referir aos meus apontamentos, não posso fazer um relato mais detalhado para você deste caso curioso. Não sei se alguma coisa essencial foi deixada sem explicação.

– Ele não podia ter esperado matar Sir Henry de susto como havia feito com o velho tio com o seu cão diabólico.

– O animal era selvagem e estava meio esfomeado. Se a sua aparência não matasse sua vítima de susto, pelo menos paralisaria a resistência que ela pudesse oferecer.

– Sem dúvida. Resta apenas uma dificuldade. Se Stapleton herdasse, como poderia ele explicar o fato de ele, o herdeiro, estar vivendo escondido sob outro nome tão perto da propriedade? Como poderia ele reivindicá-la sem levantar suspeitas e perguntas?

Essa é uma dificuldade formidável, e receio que você esteja pedindo demais quando espera que eu resolva isso. O passado e o presente estão dentro do campo da minha investigação, mas o que um homem pode fazer no futuro é uma questão difícil de responder. A Sra. Stapleton ouviu o marido discutir o problema em várias ocasiões. Havia três condutas possíveis. Ele podia reivindicar a propriedade da América do Sul, estabelecer sua identidade diante das autoridades inglesas lá, e assim obter a fortuna sem jamais vir à Inglaterra; ou podia adotar um disfarce elaborado durante o curto período em que precisasse estar em Londres; ou, novamente, poderia fornecer as provas e documentos a um cúmplice, apresentando-o como herdeiro, conservando o direito a uma proporção da renda dele. Não podemos duvidar pelo que sabemos dele que ele teria encontrado algum meio de se sair da dificuldade. E agora, meu caro Watson, tivemos algumas semanas de trabalho duro, e por uma noite, acho eu, devemos voltar nossos pensamentos para coisas mais agradáveis. Tenho um camarote para Les Huguenots. Você já ouviu o De Reszkes? Posso pedir-lhe então para estar pronto em meia hora, e podemos parar no Marcini para um pequeno jantar no caminho?